Ils se disaient
"gentilshommes de fortune",
mais c'étaient
d'abominables pirates.
Nous avions peur et c'était bon.
Le roman s'appelait

L'Île au trésor.

Né en 1942, Philippe Jacquin est assistant en histoire moderne à l'université de Lyon-III. Spécialiste de l'Amérique du Nord coloniale, il s'intéresse aux groupes marginaux en contact avec la nature : trappeurs américains, pirates antillais, pêcheurs à pied... Dans la collection «Découvertes», il est déjà l'auteur de *la Terre des Peaux-Rouges* (1987) et de *Vers l'Ouest, un monde nouveau* (1987).

À Daniel Touzet

1er Dépôt légal : octobre 1988
Numéro d'édition : 53580
Dépôt légal : septembre 1991
ISBN : 2-07-053066-3
Imprimerie Kapp-Lahure-Jombart à Evreux

SOUS LE PAVILLON NOIR
PIRATES ET FLIBUSTIERS

Philippe Jacquin

DÉCOUVERTES GALLIMARD
AVENTURES

Les premiers hommes à s'aventurer en mer, furent-ils des pirates, des marins en quête de butin, de violence ? Cachés derrière un promontoire rocheux, ils épient la côte, débarquent d'un radeau sur une plage où ils sèment la panique dans un campement. Les drames nés de l'océan se sont fondus dans la mémoire collective, l'imprégnant d'une méfiance ancestrale pour les étendues mystérieuses qui ferment l'horizon.

CHAPITRE PREMIER

LES FILS DÉMONIAQUES DE POSÉIDON

« Les premiers Grecs étaient tous des pirates. »
Montesquieu, *l'Esprit des lois.*

La mythologie, témoin obscur d'une histoire vacillante, conserve le souvenir des premiers brigands des mers

Dionysos dormait sur une grève de l'île d'Ikaria lorsque survinrent des pirates tyrrhéniens qui le firent prisonnier et l'emmenèrent sur leur bateau. Mais les liens du jeune dieu se détachèrent lentement pendant que toutes les parties du navire s'enveloppaient de pampre et de lierre, les plantes-emblèmes de Dionysos. Il prit alors la forme d'un lion. Epouvantés, les pirates se jetèrent à la mer où ils furent transformés en dauphins, l'animal favori de Poséidon, dieu grec de la mer. Cette métamorphose «positive» exprime toute l'ambiguïté des temps héroïques à l'encontre des hommes intrépides qui courent les mers.

Quels qu'ils soient, pirates ou honnêtes marins, les navigateurs sont aimés des dieux. Que de courage et de folie nécessaires pour braver ce défi permanent qu'est la mer! Peu de moyens de navigation, peu ou pas d'instruments d'orientation. Dans de telles conditions, un homme peut-il garder sa raison, courir de si grands dangers sans espérer gloire et profit?

Quand la piraterie était un honnête moyen d'existence, au même titre que l'agriculture ou la chasse

À la clémence des dieux répond la clémence des hommes : les poèmes d'Homère en témoignent. Ménélas, l'époux malheureux d'Hélène, vit de la piraterie, écumant les côtes orientales de la Méditerranée. L'orgueilleux Achille ne dédaigne pas quelques raids lucratifs. Quant au rusé Ulysse, son île, Ithaque, lui sert d'entrepôt. Souvent dans l'œuvre d'Homère revient cette question aux navigateurs inconnus : «Ô mes hôtes, qui êtes-vous? D'où venez-vous en sillonnant les humides chemins? Naviguez-vous pour quelque négoce ou à l'aventure tels les pirates qui errent en exposant

Pendant toute l'Antiquité, la menace pirate demeure. Bien des épitaphes en témoignent, ici et là : «Moi qui naviguais avec une cargaison de peu de valeur, les Crétois m'ont précipité au fond de la mer. Sur moi, les oiseaux marins, les mouettes ont gémi.»

leur vie et portent le malheur chez les étrangers. » Nulle réprobation, la piraterie est un droit commun, condamnable entre citoyens mais parfaitement licite à l'encontre de l'étranger.

Des princes en quête de prestige se dressent contre la menace surgie de l'horizon

Lorsque royaumes et cités s'organisent, la mer a besoin de calme, le commerce se dégage de la violence et les dieux se détournent des aventuriers. Minos, roi de Crète, fait régner l'ordre dans les Cyclades. Aristote remarque : « L'île de Crète semble avoir été désignée par la nature et par sa position privilégiée pour exercer l'hégémonie sur la Grèce entière. » L'Attique se soumet au maître de Cnossos. Ironie de l'histoire, quelques siècles plus tard la Crète sera un des principaux pourvoyeurs de pirates !

À l'ouest, la puissance de Minos se heurte aux Tyrrhéniens venus de Méditerranée occidentale. Parmi ces peuples prédominent les Étrusques. Le pays étrusque s'ouvre largement sur la mer et ses habitants sont d'excellents marins. Les Étrusques semblent s'être organisés en confédération

Dans une nécropole étrusque, une stèle évoque l'aventure maritime. Le défunt était peut-être le maître d'une de ces barques qui semaient la terreur en Méditerranée. Le géographe Strabon affirme que l'expansion grecque vers l'ouest a longtemps été freinée par la peur des redoutables pirates tyrrhéniens qui abandonnaient leurs captifs grecs, attachés à un mort, visage contre visage.

maritime ; les villes se développent non loin de la côte basse où l'on tire les vaisseaux. Aux VIIIe et VIIe siècles av. J.-C., ils partent à l'assaut des côtes grecques, pillant les sanctuaires, tel celui de Héra à Samos, s'attaquant aux colonies grecques de l'Italie du Sud, revendant des esclaves ici et là. Leur cruauté légendaire abolit toute résistance. Loin d'être marginale, la piraterie étrusque est le fait de cités en pleine expansion commerciale visant à instaurer une véritable thalassocratie.

Mais le danger ne vient pas seulement de l'ouest. À l'est, les Phéniciens associent piraterie et commerce, n'hésitant pas à s'emparer d'honorables marchands pour les vendre comme esclaves sur une côte lointaine. La Grèce continentale est cernée d'îles, et les mieux situées, à proximité des routes commerciales, saisissent toutes les occasions de larcins. Ainsi, à Samos, les îliens, sur de petits navires rapides, interrompent le trafic des Cyclades. Au VIe siècle av. J.-C., le tyran de l'île, Polycrate, profitant de la faiblesse des cités continentales, lance ses trirèmes dans la piraterie. Provocation insensée, il va même jusqu'à honorer le sanctuaire de Délos de cadeaux provenant des prises en mer.

Propulsé par la force de ses rameurs, un navire pirate tente d'éperonner un vaisseau de commerce. Manœuvre délicate qui se solde souvent par le bris des avirons. Seul l'abordage est une technique efficace pour réduire un adversaire.

La thalassocratie athénienne veille jalousement sur la paix des mers

Dès la fin du VIe siècle av. J.-C., les Athéniens construisent une flotte importante pour se débarrasser des pirates de Carie. L'oracle de Delphes, organe de

la conscience hellène, condamne la piraterie. Les Athéniens expulsent les Dolopes, les marchands-pirates de l'île de Skyros, rivale commerciale de la cité de l'Attique. Les trirèmes athéniennes poursuivent les pirates de la Chersonèse de Thrace. Au Ve siècle av. J.-C., Athènes y installe des colons, les clérouques, qui consolident son empire maritime et protègent son commerce.

Même si la réussite d'Athènes est relative – Crétois et Ciliciens tentent toujours des raids – un changement s'opère dans les mentalités à l'époque classique. La piraterie devient objet d'une vive

Casqués, lances dressées, boucliers de bronze en avant, les marins attendent l'abordage. Les équipages sont armés, le marin est un guerrier toujours prêt à défendre sa cargaison. À gauche, le petit navire manœuvre aisément. Lors de l'abordage, les rameurs saisissent des armes et viennent grossir le rang des assaillants.

réprobation lorsqu'elle profite à l'individu. Elle est condamnée au nom du droit commun au même titre que le vol. Toutefois, Xénophon reconnaît qu'elle peut être légitime lorsqu'elle s'insère dans le cadre d'une guerre. Les peuples pirates, aux marges de l'Empire hellène, demeurent des «barbares» ignorant l'agriculture, vivant de chasse et de pillage. Thucydide, célèbre historien grec, considère que le progrès s'accompagne de la disparition de la piraterie. La lutte contre ce fléau – thème civilisateur majeur – devient la mission de la Cité ou du Prince. En réalité, lutte contre la piraterie et hégémonie se rejoignent.

Le pirate, c'est l'autre, le rival, l'ennemi

Au IVe siècle av. J.-C., les cités se déchirent, l'empire maritime d'Athènes se disloque, les côtes résonnent de nouveau des cris des pirates. La lutte contre la piraterie se fait propagande. Philippe de Macédoine justifie ainsi ses conquêtes : «Cette île, ce n'est pas aux habitants ni à vous Athéniens que je l'ai prise, c'est à Sostratos, un pirate.»

Dans le désordre qui s'installe, pour bien des cités démunies, la piraterie apparaît comme le seul recours possible. «Les gens de Chalcédoine et de Cyzique donnaient la chasse aux bateaux de commerce parce qu'ils manquaient de blé. Ils amenaient les navires à terre et les obligeaient à décharger leur blé», rapporte Thucydide. Les Chalcédoniens paient leurs mercenaires en saisissant des bateaux de blé dans les ports. La crise de la Cité, la misère, la guerre endémique conduisent nombre de Grecs à s'engager dans le mercenariat ou à rejoindre les pirates.

Ce dessin d'un vase grec témoigne du sort réservé au pirate capturé vivant. Attaché par les poignets, il est jeté du haut d'une vergue sur le pont ou dans la mer. L'équipage le regarde alors se noyer. Le pirate peut également subir le supplice infamant de la crucifixion à l'entrée d'une cité.

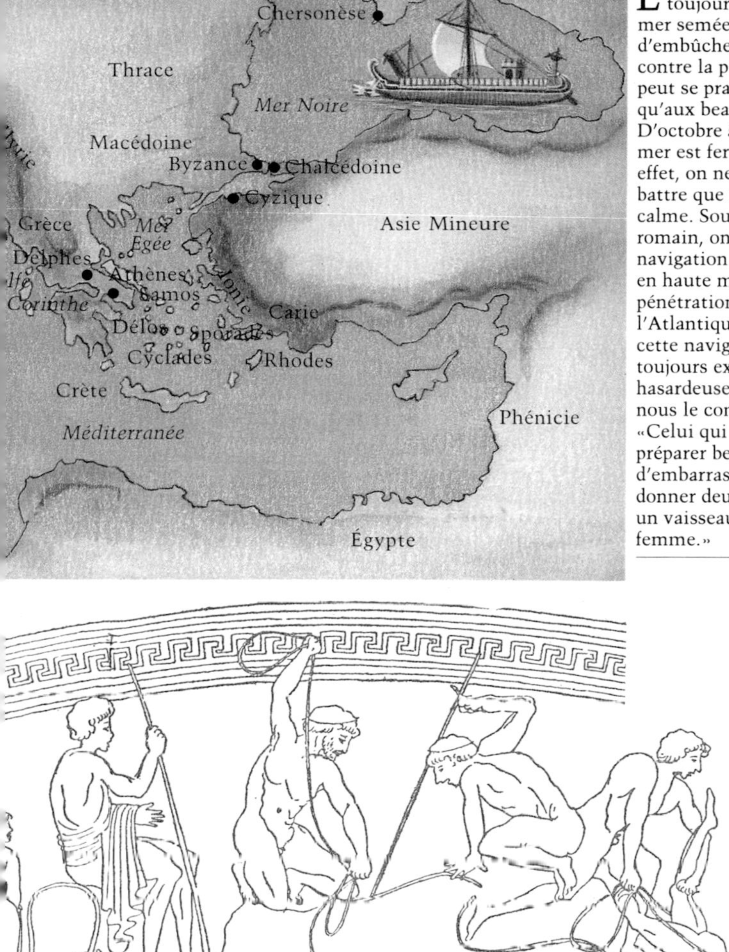

La «mare nostrum» a toujours été une mer semée d'embûches. La lutte contre la piraterie ne peut se pratiquer qu'aux beaux jours. D'octobre à avril «la mer est fermée». En effet, on ne peut se battre que sur une mer calme. Sous l'Empire romain, on s'enhardit : navigation de nuit et en haute mer, pénétration dans l'Atlantique. En réalité, cette navigation est toujours extrêmement hasardeuse. Plaute nous le confirme : «Celui qui veut se préparer beaucoup d'embarras n'a qu'à se donner deux choses, un vaisseau et une femme.»

De pauvres montagnards descendent vers la mer... La Crète et l'Étolie se transforment en nids de pirates

Au débouché du golfe de Corinthe, sur la mer Ionienne, l'Étolie a peu de façade maritime. Le terme générique de «pirates étoliens» recouvre un ensemble de peuples réunis dans la Confédération étolienne. Au IIIe siècle av. J.-C., cette dernière se lance dans une expansion maritime mettant à profit la crainte qu'inspirent ses pirates jusque sur les côtes d'Asie Mineure.

Bien des cités préfèrent se lier à l'Étolie par des contrats de sécurité afin de se prémunir de raids éventuels. Les traités d'*asylie,* droit d'échapper au pillage, et d'*asphaleia,* protection des personnes, se multiplient. Les cités finissent par se plier politiquement aux Étoliens et par là même se garantissent de la domination montante des souverains orientaux. Dans les îles de la mer Égée, sur la côte ionienne, le recul de l'influence maritime des monarchies s'accompagne d'un besoin de protection qu'assurent les Étoliens. Ainsi la piraterie est un facteur de paix dans ces régions et favorise l'influence politique de la Confédération. Mais celle-ci, incapable d'entrevoir une hégémonie durable, se déchirera en conflits internes. L'«esprit pirate» retrouvera sa véritable voie.

La trière athénienne est l'arme absolue de la thalassocratie. Longue de 40 mètres, elle est dirigée par deux cents citoyens dont cent soixante-dix rameurs répartis sur trois rangs. Des tours amovibles, dans lesquelles se tiennent les archers, sont placées à la proue ou à la poupe de la trière. Elle est aussi équipée d'un éperon de bronze pour l'offensive.

Eternels pirates, écumeurs des mers, criminels Crétois !

Les Étoliens laissent de nombreux captifs en Crète, véritable repaire de receleurs. Les hommes sont la prise la plus appréciée, la main-d'œuvre servile étant la base de l'économie antique. Il existe même une *doulopolis,* cité où tous les habitants sont des prisonniers attendant le paiement d'une rançon pour retrouver la liberté ou, à défaut, être vendu comme esclave.

Alors que les Étoliens s'éclipsent, les Crétois leur succèdent. Dès le IIIe siècle av. J.-C., la pression démographique et la misère dans les cités crétoises ont conduit les élites locales à encourager le mercenariat et la piraterie. Les montagnards, habiles archers, sont embarqués sur des navires qui traquent le moindre vaisseau. La réussite des Crétois est perceptible dans les demandes d'asylie que leur adressent de nombreuses cités grecques, anxieuses de voir se développer ce nouveau péril. Seule Rhodes, alliée aux Lagides d'Égypte, résiste. Depuis longtemps à l'écart des grands conflits, les marchands de Rhodes se sont enrichis par le commerce; quant à l'Égypte, elle souhaite continuer à vendre son blé en toute sécurité sur le marché grec. Les Rhodiens se font les gendarmes des mers et s'engagent, en 205 av. J.-C., dans une lutte sans merci contre les Crétois. Peine perdue : à l'issue d'un second conflit, cinquante ans plus tard,

Aux IVe et IIIe siècles av. J.-C., apparaissent des troupes de pirates qui se mettent au service des souverains hellénistiques. À leur tête un «archipirate», Démétrios. L'historien grec Diodore met ces paroles désabusées dans la bouche d'un Crétois : «Nous servons comme archers en vue du gain. Chacune de nos flèches est tirée contre de l'argent et nous parcourons la terre et la mer.»

ils devront faire appel à Rome et à sa puissante marine, forgée lors des guerres puniques.

Infestées de forbans, les côtes de la Méditerranée occidentale et de l'Adriatique ont longtemps mobilisé la marine romaine

Dès le ve siècle av. J.-C., les Romains avaient dû faire face à la piraterie endémique corse et sarde. L'installation de colonies romaines contribua à réduire le danger. Les menaces les plus graves venaient de deux régions difficiles d'accès. En effet, les Romains, ne pouvant saisir les navires pirates, tentaient de réduire leurs bases arrière. Sur les rivages nord de l'Apennin, les Ligures lançaient des raids sur de petits bateaux. Rome, après des années de campagne, s'installa sur la côte et déporta une partie de la population en Italie centrale. Dans l'Adriatique, la côte illyrienne, parsemée d'îles et d'échancrures, demeurait le repaire de «peuples sauvages» : Istriens, Dalmates et Liburnes, excellents constructeurs de navires et prompts à entreprendre des raids sur l'Italie. Le royaume de la reine Teuta devint un véritable «État prédateur» : seule l'intervention des légions mit fin à son règne en 219 av. J.-C.

La reine Teuta ordonne l'exécution des frères Coruncarius, deux ambassadeurs romains qui lui rendent visite en 230. Son royaume abrite un filet d'îles, repaire de pirates et de guerriers redoutables. En faisant assassiner ces dignes représentants de l'Empire romain, Teuta signe l'arrêt de mort de son royaume.

Après avoir longuement tergiversé, Rome, bafoué au cœur même de son empire, décime la piraterie qui sévit sur les côtes d'Asie Mineure

Rome était embarrassé pour répondre au désarroi de Rhodes. Les Romains, eux aussi, avaient eu l'occasion de souffrir de la piraterie crétoise. Vers 189 av. J.-C., quatre mille citoyens romains étaient retenus dans l'île, mais, engagé dans de longues campagnes militaires contre Anthiochos, Rome hésitait encore à intervenir. Les marchands italiens s'accommodaient de la piraterie dans la mesure où elle leur fournissait une abondante main-d'œuvre servile. L'île de Délos permettait de fructueux échanges avec les pirates ciliciens, crétois, étoliens. Toutefois, l'effondrement rhodien laissait le champ libre à des hommes peu enclins à la mansuétude

Au Ier siècle, l'empereur Claude fait construire au nord-ouest du Tibre, près de la colonne d'Ostie, un bassin artificiel relié au fleuve par un canal. Ce port peut accueillir deux cents navires et permet de ravitailler Rome en blé d'Égypte. Les pirates n'osent s'aventurer dans cet ensemble monumental où séjournent les galères de combat.

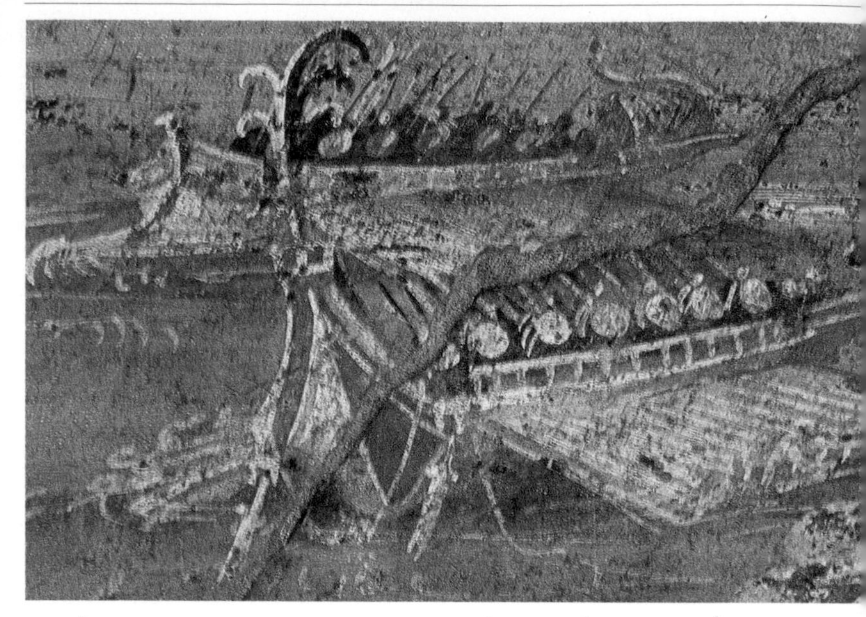

avec leurs partenaires commerciaux. Dès le IIe siècle av. J.-C., des pirates s'aventurent vers la Sicile, attaquent les convois romains et le célèbre épisode de la capture du jeune César dans les Sporades est révélateur de l'insécurité en Méditerranée orientale.

Sur la côte méridionale de l'Asie Mineure, en Cilicie, prospèrent des bandes de pirates, cachées dans un labyrinthe d'îles. Ils ont construit deux puissantes forteresses, d'où ils narguent les fiers Romains. Mais leur alliance avec Mithridate le Grand, roi le plus puissant d'Asie Mineure, déchaîne la colère de Rome. Plusieurs expéditions réduisent temporairement la piraterie. Au Ier siècle av. J.-C., les pirates attaquent les navires chargés de blé, s'emparent de préteurs et de consuls, et, affront suprême, osent même s'aventurer jusqu'à Ostie. Cette fois-ci, la coupe est pleine : en 67 av. J.-C., le sénat décide de confier à Pompée la charge de débarrasser Rome de ce fléau. Avec cinq mille galères et cent vingt mille hommes, Pompée quadrille la

Dans sa lutte contre les pirates, «le Grand Pompée» bénéficie des efforts entrepris par ses prédécesseurs.

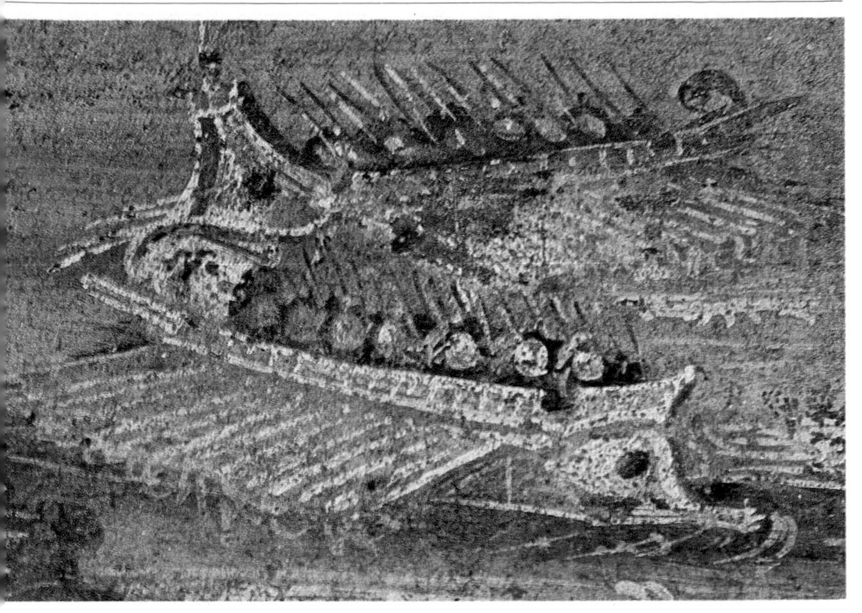

Méditerranée, détruit les forteresses de Cilicie, ratisse toutes les îles, propose aux irréductibles la soumission... ou la crucifixion . Les pirates sont enrôlés sur la flotte romaine ou dirigés vers des colonies agricoles. La Méditerranée devient la «*mare nostrum*» de Rome.

L'effondrement de l'Empire romain rend la Méditerranée à ses démons

La paix maritime de l'Empire est troublée par une piraterie endémique qui prend la forme d'un soulèvement contre l'ordre romain. L'insécurité maritime la plus grande règne sur la «frontière», sur les mers périphériques de l'Empire, l'Atlantique, le Pont, la mer Rouge. Là, la piraterie prospère malgré la présence de la flotte romaine, incapable de surveiller d'immenses espaces loin de ses ports. À partir du IIIe siècle ap. J.-C., les grandes invasions s'accompagnent d'une grave crise économique et politique propice au développement de la piraterie. La *pax romana* n'est plus qu'un souvenir. L'ombre des pirates s'étend à nouveau sur la Méditerranée.

Légers, munis de deux rangs de rames, non pontés, les navires pirates, l'*hemiolie* ou la *liburne* des Dalmates, narguent les grandes flottes de lourdes galères, zigzaguent entre les rochers et remontent les rivières.

Par un doux printemps provençal de 1860, les villageois s'amusent et dansent au rythme du violon dans une commune du littoral. «Maures à la côte!» La place se vide dans une cohue indescriptible. Le danger barbaresque s'est éteint depuis plusieurs générations mais il perdure dans les mentalités de l'Europe méditerranéenne. La tradition orale perpétue la lutte épique contre le Musulman, l'ennemi séculaire.

CHAPITRE II

L'HYDRE PIRATE

Quand on entre en piraterie, on déclare la guerre au monde entier.

Derrière le mythe de la piraterie méditerranéenne se cache une réalité complexe qui se met en place dès l'aube du Moyen Âge.

Entre le IVe et le XIVe siècle, l'Empire byzantin tente vainement de se faire respecter en Méditerranée orientale

La mer constitue l'élément de cohésion de l'immense Empire byzantin et souvent l'unique moyen de maintenir le contact avec des provinces qui lui procurent toute sa richesse. Le «droit de la mer» byzantin se résume à une condamnation ferme de la course et de la piraterie, assimilées à des actes de brigandage. Byzance lutte avec plus ou moins de succès contre la piraterie «traditionnelle», celle des Ciliciens par exemple. Mais deux événements, la conquête arabe au VIIe siècle et l'arrivée des Croisés au XIIIe, vont ébranler la thalassocratie byzantine.

Avant que les Croisés n'aient pillé leur capitale, les Byzantins connaissaient bien la rapacité des pirates italiens qui, pour la circonstance, adoptaient des noms grecs. Mais l'arrivée des Francs accentua les pressions sur un empire déjà aux abois et en lutte permanente contre la piraterie arabe.

Portés par le souffle de la foi, les Arabes se lancent dans une guerre sainte où tous les moyens sont bons pour affaiblir l'adversaire. Les États sous domination musulmane organisent une guerre de course qui leur permet d'alimenter un marché aux esclaves lucratif et d'enrichir les ports où sont écoulées les prises. Les conséquences de la piraterie arabe ne tardent pas à se faire sentir. Les régions exposées aux corsaires se dépeuplent. Le rachat des captifs draine l'or byzantin vers les États musulmans : «bouclier de la foi», les Byzantins arrachent avec leurs sacs de pièces d'or des centaines de chrétiens à un destin d'esclave. Dans ces temps difficiles Byzance doit également faire face aux pirates de la côte italienne. Le «crime» profite aux cités marchandes : en premier lieu les deux républiques maritimes, Venise et Gênes.

En Méditerranée, les Sarrasins tentent de s'emparer des îles les plus importantes : la Crète et la Sicile. Ici, ils reculent devant Messine. Pendant plusieurs siècles, la Sicile est assaillie régulièrement par des marins des États barbaresques.

La fin du «gendarme byzantin» inaugure un nouvel âge d'or de la piraterie

En 1204, les Croisés s'emparent de Constantinople. La perte de leur capitale est ressentie par les Byzantins comme un véritable acte de piraterie, perpétré par une bande de soudards ivres de pillage et de sang. Les Croisés exercent leurs talents de brigands sur les côtes d'Asie Mineure et participent à un fructueux commerce d'esclaves. Au XIIIe siècle, mais surtout au XIVe siècle, cette industrie est florissante : «Turcs» et «Maures» sont vendus sur les marchés crétois à des Catalans, des Vénitiens et des Génois.

Mais les cités maritimes ne vivent pas seulement du commerce

L'Arabe puis le Turc, en moins d'une génération, deviennent d'excellents marins qui recrutent les populations côtières pour la course ou la piraterie.

des esclaves. Gênes et Venise entretiennent des échanges extrêmement avantageux avec l'Orient. Par leur intermédiaire, épices diverses et variées, soieries, ivoire et or affluent en Occident. Les pirates catalans et siciliens, alléchés par ces mirifiques richesses, sont à l'affût et tentent de s'emparer des galères contenant ces trésors.

En Méditerranée occidentale aussi, les richesses circulent ; là aussi, la piraterie est chronique

Après 1350, les bases pirates se multiplient sur la côte sicilienne, aux îles Lipari et à Malte. Les chevaliers de Malte ferment volontiers les yeux sur les agissements de tous ces aventuriers venus de l'Europe entière qui se livrent à une piraterie, source de profits considérables pour l'île. Les victimes, Génois et Vénitiens, lancent sans grand succès des opérations sur l'île en 1381. À la même époque des pirates musulmans venus de Tunisie s'attaquent à la Sicile, perturbant le travail agricole. Partout sur les côtes siciliennes se dressent des tours de guet. Acculés à la misère, les paysans des îles rejoignent les pirates et s'engagent dans la lutte contre les Sarrasins «perfides». Sous couvert de religion, la rapine, la violence, la traite des esclaves prospèrent. Dans les ports méditerranéens, aux XIVe et XVe siècles, on ne pirate pas, on pratique le *corso*. *Far il corso*, faire le cours, devient une «industrie nationale» : moyen de subsistance pour les populations pauvres, survie économique, voire raison d'être pour les ports et les États.

En Europe du Nord-Ouest, la distinction entre course et piraterie demeure tout aussi floue.

«L'occasion fait le larron» : pragmatisme et inorganisation caractérisent la piraterie qui sévit sur les côtes occidentales

Après le choc des invasions vikings, l'Europe atlantique a connu un ralentissement du commerce maritime. Au XIIIe siècle, un «boom» économique le relance : le cabotage se développe, la pêche prospère, un commerce international se constitue sur deux grands axes : l'un vers l'est, en direction de Novgorod par Bruges et Lubeck ; l'autre vers l'ouest, des Pays-Bas vers l'Angleterre. Anglais et marchands hanséatiques rallient l'Aquitaine et commercialisent le sel des côtes françaises de l'Atlantique, Vénitiens et Génois naviguent à destination de Londres, Anvers et Bruges.

Assoupie l'hiver, la piraterie s'éveille au printemps pour guetter le grand commerce maritime : près des détroits danois, les navires baltes ; dans la Manche, les Vénitiens, les Hollandais chargés du sel de la baie de Bourgneuf, ou les Anglais avec leurs lourdes barriques de vin de l'Aquitaine. Au printemps et à l'automne, les brumes et les brouillards qui paralysent les lourdes nefs sont propices aux embuscades. Lorsque les prises sont minces, on n'hésite pas à pourchasser les bateaux de pêche dans les eaux de la Scanie ou de la mer du Nord. Pour les habitants des petits ports ou des îles

À Venise, au XVe siècle, les deux plus grandes «coques» privées servent comme vaisseaux de guerre contre les pirates. D'habiles arbalétriers déciment l'équipage adverse à partir des ponts ou de tours surélevées.

Les Anglais déplorent que «les gens de Saint Malo soient les plus grands voleurs et les plus grands filous qui aient existé sur la mer depuis de nombreuses années. De ce que nos marchands ont acheté très cher, ils n'ont pas crainte de s'emparer par la force et la ruse.»

pauvres, exclus de la richesse commerciale, la piraterie est une aubaine. À Gotland, Helgoland, Wight, Batz, Ouessant ou Groix, le passage du moindre navire suscite la convoitise. Les îliens sont toujours prêts à accueillir des vaisseaux cherchant un abri lors du «gros temps», quitte d'ailleurs, si le rapport de force l'autorise, à se saisir du butin et de l'équipage.

D'honorables équipages se transforment en écumeurs de mer

La violence est alors le lot quotidien des gens de mer. Les solidarités nationales n'existent pas, la vendetta sert de loi. Dans de nombreuses affaires locales, injures et provocations lancées par les marins et les pêcheurs ne sont que des prétextes pour se livrer à la piraterie. Aux XIIIe et XIVe siècles, la Manche et l'Atlantique fourmillent de baleiniers, armés par des nobles «cherchant l'aventure sur mer», écrémant tout le trafic, faisant peu de cas des amis, alliés, ignorant les sauf-conduits, les trêves ou les traités. Bordelais, Rochelais, Bretons, Basques, Anglais connaissent les routes maritimes, il leur suffit d'attendre les proies. Après l'assaut, les prisonniers, jetés dans la cale, roués de coups, se voient extorquer la promesse de renoncer à toute réparation. Parfois les marins sont détroussés, abandonnés dans une petite barque sans vivres et sans eau ou sur le navire dont on a arraché les voiles. On n'hésite pas à mutiler l'équipage ou plus simplement à le passer par-dessus bord ! Sur mer l'esprit chevaleresque est bien loin.

La violence maritime devient endémique et constitue une insupportable entrave aux intérêts économiques des nations européennes.

Pendant tout le Moyen Âge, les îles de la côte frisonne hébergent des pirates. Cette côte assure la liaison maritime entre les villes de la mer Baltique et celles des Pays-Bas, notamment Bruges. Les pirates capturés, appartenant à l'équipage du capitaine Henszlein, sont décapités après un procès très rapide. Le bourreau tranche la tête des trente-trois pirates en quarante-cinq minutes seulement...

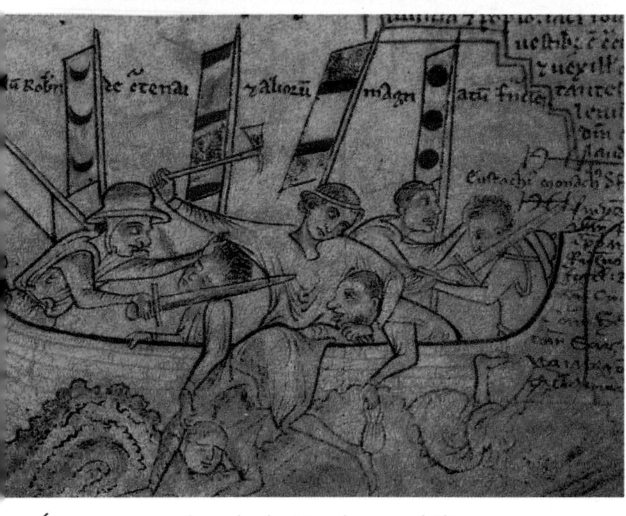

Le brigandage sur mer attire des seigneurs, voire des religieux défroqués. Eustache le Moine attaque en 1217 un navire dans le pas de Calais (ci-dessous). Pour faciliter l'abordage, un grappin maintient bord à bord les deux bateaux.

États et marchands du Nord se mobilisent

La Hanse, association commerciale liant plusieurs villes d'Europe septentrionale, s'efforce de réprimer en Baltique les agissements des *Vitalienbrüder*, une organisation pirate née au XIIIe siècle dans le Mecklembourg. Réfugiée dans l'île de Gotland,

elle surveille la Baltique. Au XIVe siècle, chassée par l'ordre Teutonique, elle se déplace dans la mer du Nord où elle est accueillie par les seigneurs de Frise orientale. Déclassés et aventuriers rejoignent en masse cette région, base des forbans, et servent sur des bateaux pirates. La protection notoire accordée à cette délinquance par de nombreux seigneurs, la tolérance de certains ports à l'égard des pirates suscitent la réprobation dans les centres commerciaux importants. Les pouvoirs publics, les souverains, soucieux de protéger un commerce qui les enrichit, s'efforcent de rassurer les marchands, de faire dédommager les victimes et de réglementer l'activité des corsaires. Les chances d'obtenir réparation existent mais demandent une constance certaine.

Visage de reître, corpulence de géant, Klaus Störtebeker fut, avec Godeke Michels, l'un des derniers grands capitaines des Vitalienbrüder. En 1400, il fut décapité à Hambourg avec une centaine de comparses. Leurs têtes restèrent exposées sur la place du marché pendant plusieurs semaines.

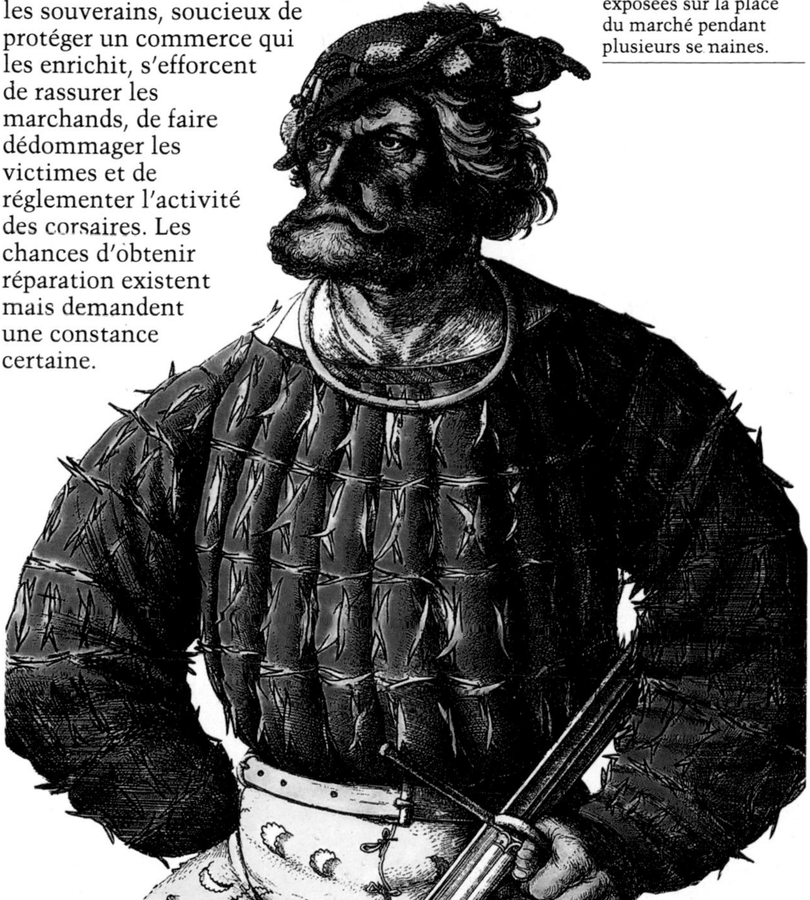

Au printemps 1400, tout Hambourg se précipite sur les quais pour voir le mythique pirate Klaus Störtebeker enfin arrêté. Seule une opération conjuguée des flottes de Brême et de Hambourg avait réussi à liquider les pirates de l'île de Gotland. En mer Baltique et en mer du Nord, la piraterie s'était développée dans le dernier quart du XIVe siècle à la faveur des désordres provoqués par la lutte de la maison de Mecklembourg contre Marguerite, la régente du Danemark. Des ports de Rostock et de Wismar, les navires pirates n'attaquaient pas seulement les Danois mais tous les bateaux de la Hanse. Le succès des Vitalienbrüder était devenu tel qu'en 1392 tout le trafic avec la Suède avait été interrompu. En 1397, le grand maître des chevaliers Teutoniques se joignit à la Hanse pour mettre fin au fléau. Pendant vingt ans les Vitalienbrüder avaient terrorisé les mers nordiques, donnant naissance à une véritable légende sur leurs exploits, leurs voyages, leurs trésors cachés.

Un marchand de la Rochelle attendra sept ans la réparation des torts occasionnés par des Anglais de Plymouth. En réalité, les litiges ne peuvent se conclure sans des accords sérieux entre les grandes monarchies, dans la mesure où seules ces dernières sont capables de les faire respecter.

François Ier publie en 1519 un édit contre la piraterie. Hypocrisie des rois qui répriment d'un côté ce qu'ils encouragent de l'autre.

La lutte contre la piraterie est liée au rôle croissant de l'État pendant les derniers siècles du Moyen Âge

Faute de pouvoir extirper le mal pirate, on le légifère. On cherche à codifier la course, à limiter sa légitimité aux périodes d'hostilité et aux ennemis déclarés. Au XIVe siècle, Français, Anglais, armateurs de la Hanse normalisent la lettre de marque qui devient, lors d'un conflit, une commission de «courir sus sur la mer aux ennemys du Roy». Au siècle suivant, un accord anglo-breton interdit l'accès des pirates aux ports. Mais les désordres de la guerre de Cent Ans et les rivalités au sein de la Hanse remettent en cause les progrès significatifs accomplis en matière de réglementation. Au cours de ces troubles les pirates s'engagent ici et là comme mercenaires.

Le retour de la paix, la consolidation des États et les mouvements d'explorations entrepris dès la fin du XVe siècle obligent les nouvelles puissances maritimes à s'entendre, et ce malgré des intérêts divergents. Les Ibériques veulent protéger leurs conquêtes, se réservant la propriété des mers et des terres nouvellement colonisées. Quant aux nations du Nord-Ouest, la France notamment, elles souhaitent la liberté totale de navigation. En 1485, Alphonse V, roi du Portugal, signe avec le roi de France, Charles VIII, un accord dans lequel les pirates sont définis comme des gens qui «se mettent en armes pour faire la guerre sur mer à tous ceux qu'ils rencontrent, amys ou ennemys du Roy».

Richard III d'Angleterre souscrit aux mêmes engagements. Cet effort de réglementation semble porter ses fruits sur le plan international. Amélioration de courte durée ! Lorsque les Européens découvrent la réalité du commerce des épices et de l'or américain, la raison des Princes chavire ! La fortune court les mers et les pirates la suivent. Le pouvoir ferme les yeux sur les agissements des plus chanceux. À partir de Dieppe, l'armateur Jean Ango équipe des navires. Course ou piraterie ? Nul ne sait ni ne cherche à savoir, tant les profits sont considérables. Selon les estimations du tribunal de Bayonne, la valeur des prises des Normands entre 1520 et 1540 représente un million de ducats, soit l'équivalent de quatre années d'exportation d'or des Amériques !

Les bateaux puissants des mers du Nord, tel *l'Aigle de Lübeck* construit en 1506, sont introduits par les Anglais en Méditerranée où on les surnommera les «bertons», altération du mot «breton».

Dans le courant du XVIe siècle, Venise est assiégée par des pirates de tous poils : Uscoques, Barbaresques, Maltais, Espagnols, Anglais...

La «Sérénissime République» perd au XVIe siècle de vingt-cinq à trente pour cent de ses navires du fait des pirates et des corsaires, allez savoir !

Au XVIe siècle, l'office de la piraterie, à Gênes, est un service particulier permettant d'indemniser les étrangers lésés par les Génois. Cette conciliation entre les États et les marchands vise à criminaliser la piraterie.

À la fin du siècle, en raison de l'insécurité permanente, les assurances maritimes sont majorées de quinze pour cent. Toujours pour limiter les risques, les marchands fractionnent en parts multiples la propriété et l'armement des navires. Cette irrépressible croissance de la piraterie au XVIe siècle est liée à la conjoncture historique. Après la bataille de Lépante en 1571, l'Espagne et l'Empire ottoman, les deux puissances capables de faire régner l'ordre sur mer, instaurent un statu quo en Méditerranée. Cet accord se traduit rapidement par

Sur la côte crétoise, les bateaux pirates sont soustraits aux regards indiscrets.

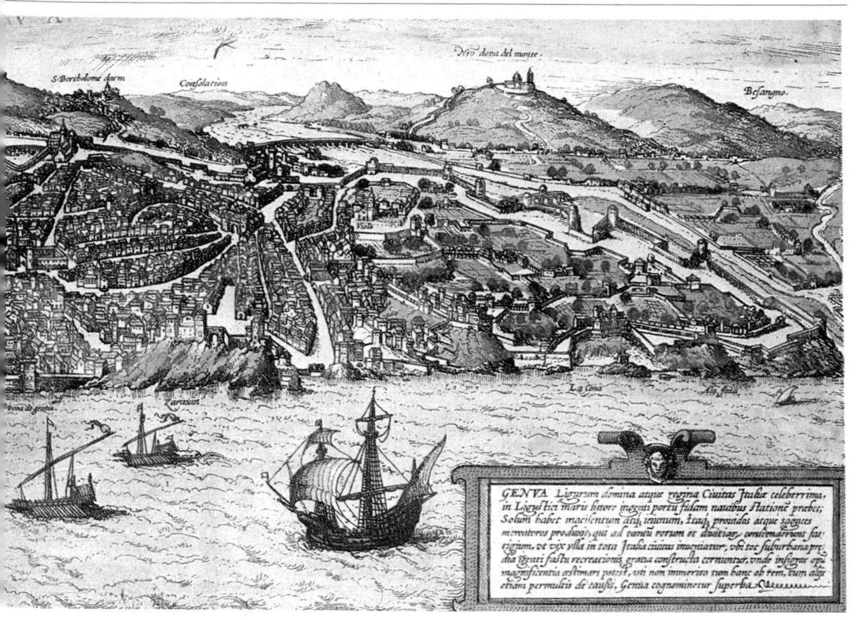

un abandon total de toute surveillance maritime. La géopolitique conduit ces empires : les Espagnols se tournent vers le Nouveau Monde et les Turcs doivent faire face aux Perses. L'irruption des «hérétiques» complique encore la situation. Anglais et Hollandais, en pleine fièvre religieuse contre les «papistes», pillent les navires catholiques aussi bien que ceux des Infidèles. Ainsi, en une génération, la situation se dégrade. La course prend des allures de piraterie, et ce en toute impunité puisque les «Grands» se détournent de la «Mer Intérieure».

Dans ce combat de loups, les cités maritimes tournées vers le commerce oriental souffrent plus que les autres. Après Lépante, Venise a trouvé un terrain d'entente avec les Turcs. La «Sérénissime» s'engage à commercer avec eux, à accueillir leurs navires et à les protéger dans l'Adriatique. En pleine expansion dans les Balkans, les Ottomans campent en Hongrie et occupent le sud-est de l'Europe, menaçant le Très Catholique Empire des Habsbourg. Les princes autrichiens, désireux de

Gênes est, après Venise, l'autre grande cité maritime. Elle vit au rythme du commerce et de la banque internationale. On y écoule les innombrables produits de la course et de la piraterie. Ainsi Malte achète des galères à Gênes. En retour, la cité reconvertit les prises des navires maltais. Seul un grand port a la possibilité de ventiler des produits sur un marché international. Les pirates, s'ils veulent prospérer, sont obligés, un jour ou l'autre, de transiter par les services d'un port receleur-revendeur.

perturber les bonnes relations de Venise et des Ottomans, cautionnent, par leur passivité, la piraterie et notamment celle des Uscoques.

La piraterie uscoque ou comment destabiliser un État

Les Uscoques – réfugiés en langue croate – sont des Slaves qui fuient la domination ottomane. Les Habsbourg utilisent la haine du Turc qui anime ces paysans pour les tranformer en excellents mercenaires. Dans les années 1520-1530, des Uscoques se regroupent au nord de la côte adriatique autour de la cité de Senj. La région est fort pauvre ; aussi les agriculteurs et les bergers se tournent-ils vers la mer pour pratiquer un peu de pêche. Voyant passer les galères vénitiennes lourdement chargées, ils découvrent alors leur véritable vocation. À partir de 1540, sur la place Saint-Marc, on ne parle plus que de la piraterie uscoque ! Bien informés par des espions, les Uscoques surveillent les bateaux vénitiens. Ils attaquent de nuit les plus importants ou attendent que le mauvais temps les poussent à trouver refuge dans les îles de la côte dalmate. Surgissant alors de derrière les rochers, ils montent à l'abordage. La cargaison est ensuite écoulée vers l'empire des Habsbourg par l'intermédiaire de marchands autrichiens. Harcelé, Venise entreprend une répression aussi violente qu'inefficace : les pirates capturés sont coupés en morceaux, des villages sont rasés, personne n'est épargné. Mais la piraterie uscoque, vivifiée par tous les Italiens en rupture de ban, résiste. En désespoir de cause, Venise a recours à des mercenaires anglais et hollandais. Elle opte finalement pour la solution politique. En 1617, la

Barberousse, de son vrai nom Uruj, est le fils d'un Turc et d'une chrétienne. Il naît, vers 1474, dans l'île de Lesbos, en mer Égée. C'est là qu'il fait ses premières armes de pirate avant de passer au service de la Sublime Porte. Il devient alors un remarquable corsaire barbaresque et s'installe à Tunis en 1504.

«Sérénissime» signe un accord avec les Habsbourg qui prévoit la déportation de la «population uscoque» à l'intérieur de la Croatie. Une solution qui ne peut être envisagée avec les Barbaresques.

La fondation des États barbaresques permet à Constantinople d'établir son hégémonie en Méditerranée occidentale

Dès le XIVe siècle, à Bejaia sur la côte algérienne, se constitue une course musulmane parfaitement contrôlée. Un siècle plus tard, Alger prend la relève et devient une grande cité corsaire. Au début du XVIe siècle, deux événements influent sur la politique maritime des États barbaresques : les musulmans de Grenade, chassés par les Espagnols, apportent leurs capitaux, leur connaissance du commerce ibérique et une haine tenace du chrétien. Par ailleurs, en 1516, après des années de course dans l'archipel grec, les deux frères Barberousse s'installent à Alger. Constantinople leur confie la tâche d'unifier les opérations maritimes et d'asseoir ainsi sa puissance. La course barbaresque connaîtra un nouvel essor au début du XVIIe siècle lorsqu'elle

donnera asile aux pirates anglais tels Mainwaring et Warde. Français et Hollandais affluent également en Méditerranée. Ils y introduisent les navires nordiques à coque ronde.

En 1625, la flotte algérienne atteint une centaine de vaisseaux, celle de Tunis une trentaine. À Tripoli, Dragut, Djafer et Pacha arment vingt-cinq navires. Jusqu'au XVIIIe siècle, des pirates se glissent dans ces flottes corsaires. À l'occasion les corsaires aux ordres de Constantinople se font pirates.

En 1684, le comte de Tourville dirige une expédition navale contre les Barbaresques d'Alger. La flotte mulsumane est coulée en partie. Alger et Tripoli sont bombardés.

Course ou piraterie barbaresque ? Distinguo subtil...

La piraterie musulmane utilise des galères. Elle privilégie les razzias sur les côtes pour alimenter le marché aux esclaves. La piraterie à l'encontre du grand commerce international semble plus restreinte. Au XVIIe siècle, les galères hésitent à affronter les navires équipés de dizaines de canons et préfèrent choisir des cibles moins dangereuses. Thomas Roe, chargé par Jacques Ier d'Angleterre

Un traité est signé entre Louis XIV et le dey d'Alger en 1689. La course et la piraterie barbaresques sont détournées vers les Anglais. Le roi autorise même les bateaux mulsumans à hiverner dans les ports français.

d'enquêter sur la piraterie barbaresque, dénonce les agissements des marchands provençaux qui passent contrat avec les pirates et leur achètent du poisson. Marseille, Raguse, Ancône, Venise, ports catholiques en bons termes avec les Ottomans, acceptent à leurs quais des bateaux pirates. Cette indulgence permet aux forbans d'écouler la marchandise pillée et de s'approvisionner en armes et en vivres. Les problèmes de logistique se posent en permanence aux pirates comme à ceux qui font la course. Tous profitent de la fructueuse contrebande d'armes que les Anglo-Hollandais pratiquent par l'intermédiaire de Livourne puisque des interdits moraux frappent la vente du matériel de guerre aux musulmans.

D'ennemis jurés, les Barbaresques deviennent alliés potentiels des Européens

Aux XVIIe et XVIIIe siècles, les Barbaresques entrent dans le jeu politique des puissances européennes. La course ou la piraterie peuvent être bien pratiques pour entraver le commerce d'une

Course et piraterie barbaresques approvisionnent les marchés aux esclaves d'Afrique du Nord. Parmi les milliers de captifs, les conditions de vie varient : exécrables dans les bagnes et les chiourmes, plus douces pour les esclaves domestiques et les artisans. Les tentatives de fuite sont souvent punies de mort. Une congrégation religieuse, les Trinitaires, s'efforce de racheter les prisonniers des Barbaresques.

puissance rivale. Les bonnes relations entretenues par Versailles avec les Ottomans doivent aussi s'interpréter dans ce sens. Au XVIIIe siècle, l'Empire ottoman est en perte de vitesse. L'essor économique rejette la course et la piraterie dans la marginalité.

Le terme «pirate» finit à cette époque par désigner les derniers corsaires barbaresques ou chrétiens. Le développement du commerce international offre des emplois plus sûrs. Siciliens, Grecs et Napolitains profitent de cette expansion pour constituer une excellente flotte.

Enfin, les puissances maritimes, Angleterre, France, Provinces-Unies, possèdent des escadres redoutables. Le rêve pirate n'a plus sa place dans la «Mer Intérieure». Il lui faut de plus vastes horizons.

Malgré les accords passés entre les nations, la piraterie barbaresque perdure tant qu'elle trouve des ports où s'abriter. Tous les navires se méfient en Méditerranée. Un pavillon ami peut fort bien être une ruse. Dans le combat (ci-dessous), les Barbaresques utilisent encore des arcs dont la cadence de tir est aussi rapide que celle des mousquets de leurs adversaires européens.

Pas un souffle de vent n'agite les voiles du navire immobilisé dans la mer des Antilles. Silencieusement, une chaloupe s'approche par l'arrière du vaisseau. Pierre le Grand fait signe à ses hommes d'escalader le monstre. Véritable colosse, il se précipite vers la cabine du capitaine... En quelques minutes, une poignée d'hommes vient de s'emparer du vaisseau vice-amiral des galions d'Espagne.

CHAPITRE III
SUR LE CHEMIN DE L'ENFER

« Aujourd'hui vivants, demain morts, que nous importe d'amasser ou de ménager, nous ne comptons que sur le jour que nous vivons et jamais sur celui que nous avons à vivre. »
Oexmelin.

Qu'est devenu le capitaine pirate, héros de cette aventure ? Il a tout bonnement regagné Dieppe, sa ville natale, pour y couler des jours tranquilles... et opulents.

Est-ce le destin d'un pirate de mourir dans son lit comme un bon bourgeois ? Pierre le Grand n'est pas un cas unique. De Drake à Morgan, certains pirates ont su se ménager une retraite lorsqu'il était encore temps ! Mais, pour la grande majorité, l'aventure a été brève. Elle a pris fin sur le pont d'un navire ou au bout d'une corde face à la mer.

Tout comme les grands bandits, les pirates fascinent. La fiction embrume la réalité. Dans l'imaginaire collectif, la piraterie est indissociable des îles paradisiaques où dorment les trésors cachés. Tavernes sordides, mines patibulaires, jambes de bois, abordages sanglants, tortures raffinées : tout l'arsenal de la mythologie pirate se constitue en un siècle au bord des mers opale. Relayée par les écrivains à partir du XVIIIe siècle, avec entre autres le talent d'un Daniel Defoe, la plus grande réussite de cette mythologie est de rendre sympathiques des personnages totalement infréquentables.

La piraterie dans les eaux américaines, fille bâtarde de l'expansion européenne

L'«ère pirate» qui s'ouvre au moment même de la découverte et de l'exploitation du Nouveau Monde marque la fin d'une époque, celle des mers libres et sauvages.

L'essor prodigieux de cette piraterie atlantique est lié aux transformations socio-économiques de l'Europe des XVIe et XVIIe siècles. Le voilier nordique bouleverse la technologie navale. Mieux armé, manœuvrant plus facilement avec un équipage un peu plus

important, ce type de voilier fait la fortune des commerçants et des aventuriers.

La croissance démographique, lente mais continue, pousse vers les villes et les ports une masse indigente issue d'une population rurale en quête de survie. Paysans anglais ou bretons se font marins, souvent à contrecœur. Les hommes rudes des mers froides vont faire trembler le monde. Espagnols et Portugais découvrent ces équipages qui

L'artillerie oblige les pirates à la prudence. Ils se protègent des éclats de bois en s'entourant la tête de chiffons.

se contentent «d'une croûte de biscuit, de quelque misère de beurre, d'un peu de lard ou de poisson et passent avec cela des mois en haute mer».
L'ouverture de la navigation commerciale à l'Atlantique et aux mers de l'Extrême-Orient offre un champ d'action illimité à la piraterie. L'espace se conjugue aux aléas de la navigation et devient le meilleur allié des pirates. Et, le développement d'une économie mondiale stimule le commerce international. L'Europe draine les richesses des autres continents sous les yeux avides de ses gueux affamés.

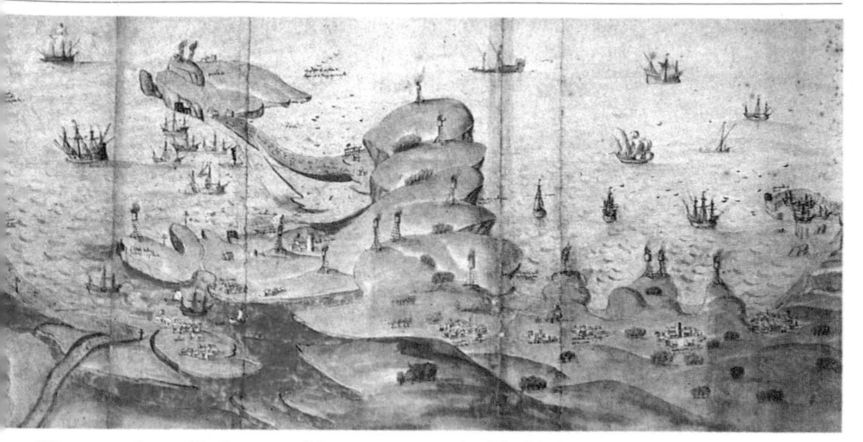

Mettant à profit les troubles graves qui affaiblissent les États, la petite piraterie perdure dans l'Atlantique du XVIe siècle

Profondément ancrée chez les populations côtières, qui se chargent d'écouler les prises, cette piraterie se limite à un brigandage le long des estuaires et des îles fréquentées par les bateaux de commerce.

Vers les années 1550, dans le Léon, le seigneur de Coëtlestremeur, aidé d'une trentaine d'hommes, arraisonne de nombreux navires. Il arrête, sans violence, un bâtiment flamand avec, à son bord, «des poëles, des chaudrons, des lins, des harengs». Quel inventaire! Il surprend deux navires anglais en rade de Brest. Butin : des ballots de laine en quantité. Une autre fois, il prend une barque de froment et un navire de La Rochelle chargé de feutre d'Espagne. En quête de grosses prises, il s'associe avec les pirates normands. Au large de l'Espagne, ils capturent un navire transportant du sucre, de la mélasse, du poivre et des épices. Le tout est revendu à Brest. En 1556, la bande est démantelée et tous les hommes pendus. Triste fin d'une lucrative activité!

À la même époque, un groupe de pirates anglais sévit à Purbeck, sur la côte du Dorset. Sous les ordres d'un marchand londonien et d'un ancien marin de Drake, ils écument la Manche pendant deux ans. Peu regardants, ils prennent tout ce qui

Au XVIe siècle, le pays de Galles et la Cornouailles abritent des réseaux de piraterie soutenus par la gentry locale. Ainsi la famille des Killigrew s'enrichit en accueillant des équipages pirates sur la côte du Dorset. C'est son intégration à l'économie locale qui fait la force de la piraterie anglaise. Bien des pêcheurs se font pirates. Ils déchargent leurs prises la nuit et convoient les produits vers une «honorable maison bourgeoise». Le propriétaire se charge alors d'écouler la cargaison volée. Un cinquième du prix revient aux pirates. En perturbant le commerce, le conflit anglo-espagnol des années 1580 réduit les profits de cette piraterie.

leur tombe sous la main : un navire de «*wynes of cognocke*», un bateau dieppois avec à son bord du «bois *brazil*, trois cents perroquets, cinquante singes et autres bêtes». Toute la marchandise est écoulée à Londres.

Les abordages sont loin d'être amicaux. Lors d'une attaque, trois Anglais sont noyés. Les sept Français survivants ont les mains tranchées et sont jetés à la mer. Les pirates recrutent leurs hommes dans les communes voisines, ainsi voit-on un équipage composé d'«un marchand d'huîtres, un laboureur, deux cordonniers et quatre tailleurs». Pour pouvoir agir en toute impunité, les pirates couvrent les autorités locales de somptueux cadeaux. Pourtant, en 1583, l'Amirauté réagit, fait arrêter la bande et pendre trois hommes, dont les deux meneurs. «En s'avançant vers la potence, Worral portait un pantalon vénitien cramoisi et Atkinson avait un manteau violet avec des boutons d'or», rapporte un témoin du supplice. Quelques années plus tard, la vie agitée des pirates de Purbeck inspirera une ballade populaire.

La guerre maritime qui sévit à la fin du XVIe siècle entraîne une alarmante recrudescence de la piraterie

Cette piraterie locale dispose de moyens modestes et a une vie éphémère. Beaucoup plus inquiétante est la piraterie de haute mer. En 1566, lors de la révolte des Provinces-Unies contre l'Espagne, les

En Angleterre, contrebande et piraterie sont étroitement liées. Tous les petits ports entretiennent des relations plus ou moins officielles avec la confédération pirate qui s'est constituée au début du XVIIe siècle. Ses chefs, Bishop, Easton, Mainwaring, sont de remarquables marins. Dans les années 1610-1620, la confédération regroupe une quarantaine de navires et deux mille hommes. Son déclin est dû, en partie, à l'interruption du commerce pendant la guerre de Trente Ans. Les pirates se tournent alors vers la Méditerranée. Certains deviennent d'honnêtes marins au service du grand-duc de Toscane ou portent le turban des Sarrasins.

Anglais, par haine des «papistes», encouragent les pirates et les corsaires à traquer les *zabres* biscayennes qui ravitaillent en argent l'armée du duc d'Albe. À partir de 1568, le trafic des métaux précieux entre l'Espagne et le Nord est coupé ; seules des flottes imposantes peuvent forcer le blocus. La guerre maritime s'accentue avec le conflit entre l'Angleterre d'Elisabeth Ire et l'Espagne de Philippe II en 1585. La reine gracie tous les pirates. L'essor de la flotte de guerre anglaise se manifeste dans le recrutement des équipages. En 1582, seize mille marins sont embarqués ; en 1603, à la fin du conflit, il y en a plus dc cinquante mille. À l'occasion de la guerre, les pirates ont eu accès à des navires bien armés. Autre avantage à leur actif : ils sont populaires auprès de la population locale. Après la guerre, de nombreux marins démobilisés ne trouvent pas d'emploi et se livrent au pillage des navires dans les ports anglais. Les hommes désœuvrés finissent souvent par s'embarquer à bord des navires pirates.

Entre 1608 et 1614, se constitue une confédération pirate qui regroupe une vingtaine de navires et plus d'un millier d'hommes. Jacques Ier, le roi d'Angleterre, estime au moins à cinq mille les marins hors de son autorité. Menacés par la Navy, la marine de guerre anglaise, les pirates gagnent d'autres mers.

Ils s'aventurent en Islande, se tournent vers l'Afrique du Nord. En 1620, ils attaquent les bateaux de pêche à Terre-Neuve.

Philippe II d'Espagne supporte mal l'impudence des pirates anglais, encouragés par le laxisme d'Elisabeth Ire d'Angleterre.

Puis, tout naturellement, ils se dirigent vers les Antilles. Les bruits qui courent dans tous les ports européens sur les montagnes d'or des Amériques ne peuvent qu'éveiller les convoitises de «tous les mécréants en quête de fortune facile».

Vers 1570, sous couvert de religion, les pirates protestants se regroupent autour du Rochelais Jacques de Sore. À partir de Douvres et de La Rochelle, Anglais, Hollandais et Normands attaquent les galions de Philippe II.

Français et Anglais se lancent dans la piraterie du domaine colonial espagnol

Le «continent de l'or» suscite bien des envies. Les Espagnols se sont empressés de mettre les autres

nations à l'écart du pactole. Ils veillent jalousement sur la mer des Caraïbes. Toute intrusion est considérée comme un acte de piraterie. Au début du XVIe siècle, la pénétration des Européens du Nord dans les empires portugais et espagnol reste modeste mais elle prend vite des allures de piraterie. Les marins des ports normands fréquentent alors la côte brésilienne en quête du bois *brazil*. Ils remontent les estuaires, surprennent des bateaux portugais. Puis d'île en île ils errent dans les Antilles, se livrant à la contrebande, capturant de petits bateaux.

Les Anglais bravent eux aussi le blocus espagnol. Pour des hommes comme Hawkins et Drake, le commerce des esclaves est une habile couverture. Ils peuvent ainsi épier les flottes espagnoles et reconnaître les côtes américaines.

L'appât du gain est tel que les corsaires anglais se transforment aisément en pirates. En 1567, Hawkins, après avoir vendu des Noirs et réalisé une énorme contrebande, ne résiste pas et attaque des galions près de Carthagène. Au retour la chance

Le «très bon et très preux chevalier sir John Hawkins», négrier, pirate, puis corsaire de sa «Gracieuse Majesté».

l'abandonne. Pris dans une violente tempête au large de Cuba, il trouve refuge dans un port de l'île où tout son équipage est malmené par les Espagnols. Deux des cinq navires anglais échappent à l'étau. Sans pouvoir se ravitailler, les équipages atteignent l'Angleterre dans un état de complète dénutrition.

Navire amiral d'Hawkins, le *Jesus of Lübeck* lui permet d'échapper de justesse aux Espagnols.

Les raids des pirates anglais et français attirent l'attention des Espagnols sur l'insuffisance de leur dispositif militaire

L'absence de port d'escale et de zones de ravitaillement reste une des grosses faiblesses des Anglais et des Français. Francis Drake en fait la douloureuse expérience, lorsqu'en 1572, il échoue dans l'isthme de Panama, à Nombre de Dios, le port où sont concentrés les trésors américains. En 1573, une marche exténuante dans l'isthme se solde par la seule prise de quelques lingots d'argent. Oxenham, l'un des officiers de Drake, traverse la cordillère des Andes et monte une expédition de piraterie avec l'aide des *cimarrones*, les esclaves noirs fugitifs, le long de la côte du Pacifique. Ils pillent les vaisseaux

Au XVIe siècle, les pirates français ne cessent de rôder le long de la côte brésilienne, mutilant les équipages portugais. Ils leur coupent le nez en criant : «Éternuez l'or». Dans ce combat naval opposant Français et Portugais, même les Indiens harcellent de flèches les belligérants.

venant du Pérou, chargés d'argent et de perles. Les Espagnols harcèlent les pirates et Oxenham, capturé, est pendu à Lima en 1577. Deux ans plus tard, Drake revient dans les Caraïbes avec un «projet fou» : s'emparer de Carthagène, arsenal des trésors du Pérou. Il recrute les meilleurs pirates : une majorité de Français dont le géographe Guillaume Le Testu, des Indiens et des Noirs. Après un assaut terrible, les notables acceptent de transiger avec les Anglais et de payer une rançon de cent sept mille ducats. Il est grand temps : la fièvre jaune décime les hommes. Quant à Drake, il rentre difficilement en Angleterre. Hanté par le rêve de l'or, il revient en Amérique et meurt de la fièvre jaune à Porto Bello en 1596. Dans les années 1590, les Espagnols fortifient les «verrous» de San Juan, La Havane et Carthagène. La citadelle de La Havane se voit équipée des «douze apôtres», douze pièces d'artillerie de forte puissance.

Aux XVIe et XVIIe siècles, les nations maritimes sont en quête d'excellents marins prêts à risquer leur vie pour étendre les empires coloniaux. Le passage par la piraterie de bien des capitaines, aujourd'hui célèbres, n'embarrasse guère le pouvoir en place. Drake et Hawkins ne sont pas les seuls à bénéficier d'une généreuse amnistie. En 1617, Henri Mainwaring, après trois ou quatre ans de piraterie, se met au service de la Couronne anglaise et livre son expérience dans l'ouvrage *De l'origine des pratiques et de la suppression de la piraterie*.

Les galions hollandais, dès le XVIe siècle, fréquentent les Antilles à la recherche de sel pour préparer le poisson, principal aliment de leurs équipages.

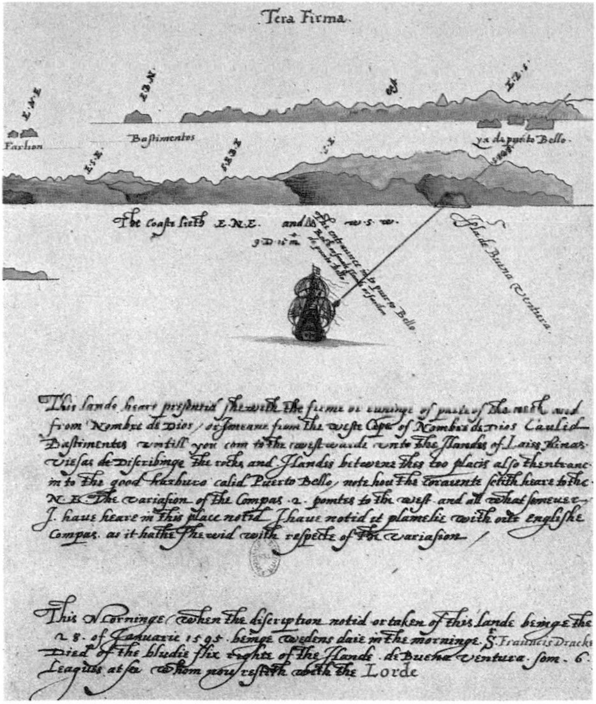

Drake ne fut pas seulement un aventurier dénué de scrupules mais également un excellent marin. Comme Henry Mainwaring ou William Dampier au siècle suivant, il consigne des observations nautiques lors de ses séjours dans les mers du Sud. En 1601, le géographe anglais Richard Hakluyt rend hommage à Drake et à Hawkins pour leurs observations dans son ouvrage *Principales Navigations et Découvertes de la nation anglaise.*

Afin de lutter contre les pirates, Philippe II crée des escadres légères : les *armadillas*. Les flottes de l'or sont renforcées de galions puissamment armés. Dans les années 1530, les bateaux traversaient seuls l'Atlantique ; plus tard, la crainte des bandits incite les Espagnols à naviguer en convois, qui assurent la *vuelta*, la liaison Amérique-Espagne.

Les Antilles, passage obligé de toute la flotte espagnole qui convoie les richesses du Nouveau Monde vers Cadix

Partis de Vera Cruz, de Porto Bello ou de Carthagène, les galions se rassemblent à La Havane. L'incertitude des conditions météorologiques explique le long calvaire des traversées. De la côte américaine à Cuba, la plupart des navires mettent deux mois. Ensuite, on passe le détroit de Floride. Aux Bermudes, la route s'oriente plein est vers les

Une chaîne barre l'entrée du port de La Havane, à Cuba. Les lourds galions attendent au large. Une multitude de barques ravitaille les équipages, assure le transport des officiers qui, seuls, peuvent profiter des charmes exotiques de la cité.

Le port de Lisbonne au XVIe siècle, temps de sa splendeur. Les pirates n'osent tenter des opérations dans les grands ports européens, surveillés sans relâche.

Açores. Quinze jours plus tard, l'Espagne est enfin en vue. Toutes ces étapes dans les ports tropicaux, le long des îles, les réparations nécessaires lors des tempêtes ou les échouages mettent la flotte espagnole à la merci de la piraterie.

Dans la stratégie de domination de la mer des Caraïbes, les îles tiennent une place particulière. En effet, elles permettent d'assurer la sécurité des convois. Cependant les Espagnols manquent d'hommes et de moyens pour contrôler un arc insulaire de plusieurs milliers de kilomètres carrés où voisine une myriade d'îlots à proximité de vastes ensembles comme Cuba ou la Jamaïque. Partout les côtes sont riches en havres propices à la clandestinité, en épaisses forêts dissimulant très facilement des barques. Toutes ces îles, à l'origine peuplées d'Indiens arawaks, sont presque vides à la fin du XVIe siècle. Les campagnes impitoyables des Espagnols, le travail forcé, les épidémies ont quasiment anéanti la population indigène. Une fois l'or exploité, les Espagnols ne s'embarrassent guère de ces possessions inutiles. Ils ne conservent que quelques ports ici et là, bases de ravitaillement pour leur flotte. Ainsi pirates, contrebandiers, corsaires

de toute l'Europe, peuvent se ménager des refuges dans des rades sûres, entretenir leurs vaisseaux et se nourrir. Car le bétail apporté par les Espagnols prolifère librement dans les grandes îles, surtout à Saint-Domingue et à Cuba. Vaches et cochons sont à la merci des chasseurs...

Là, entre les îles paradisiaques et les mers turquoise, va naître et se développer le royaume des princes de la mer.

Vers 1650, Cadix devient l'escale principale de la flotte de l'or, supplantant Séville, dont le site offrait un inconvénient majeur : de nombreux galions s'échouaient sur la barrière de Sanlucar.

Une détonation assourdissante ébranle toutes les cabanes ; les matelots se précipitent dehors. Un voilier est en flammes dans la petite baie de la Jamaïque qui abrite un repaire de pirates. Témoin de la scène, Oexmelin, le chirurgien des flibustiers, en donne la raison : complètement ivres, des pirates ont mis le feu aux poudres, provoquant l'explosion et la mort de centaines d'hommes.

CHAPITRE IV

LES PRINCES DES MERS

“Cette barbe était noire et il l'avait laissée pousser jusqu'à atteindre une longueur extravagante. Elle lui venait jusqu'aux yeux. Il s'était accoutumé à l'entortiller en petites nattes à l'aide de rubans et à l'enrouler autour des oreilles.”

Johnson, *Histoire des pirates anglais.*

La mer, la violence, l'or, tous les ingrédients sont réunis pour un excellent récit d'aventures. Il arrive parfois dans les Antilles que la piraterie dépasse la fiction. La piraterie américaine revêt un caractère original car elle devient une piraterie sociale. Elle cherche alors à dépasser le banditisme sur mer pour s'enraciner au contact des communautés coloniales et s'ancrer dans la réalité des sociétés maritimes.

La vie des boucaniers sous le soleil des Antilles

Dès la fin du XVIe siècle, des petits camps de boucaniers se dressent dans le nord-ouest de Saint-Domingue. Ils tirent leur drôle de nom du «boucan», claie de branches sur laquelle ils cuisent la viande au-dessus d'un feu de bois vert. La chaleur et la fumée permettent une excellente conservation des quartiers de bœuf ou de cochon. Quant aux peaux, arrosées de gros sel, elles sèchent au soleil. Toujours en quête de vivres, les navires hollandais, anglais ou français connaissent bien les havres où vivent les boucaniers. La viande ainsi que les peaux

«Jamais les Romains ne firent des actions aussi étonnantes. S'ils avaient eu une politique égale à leur indomptable courage, les flibustiers auraient fondé un grand empire en Amérique.»

Voltaire, *Histoire du siècle de Louis XIV.*

s'échangent contre des armes, de la poudre, du rhum. À l'occasion, les boucaniers pillent les navires rejetés sur la côte par les tempêtes. Ils vont également s'embusquer sur de petites barques près des villages espagnols. Communauté d'hommes, les boucaniers accueillent tous les transfuges, déserteurs et aventuriers qui acceptent leurs règles de vie aux mœurs très libres. Remarquables chasseurs, habitués aux longues marches en forêt, les boucaniers sont aussi très à l'aise sur un bateau. Solides gaillards bien nourris, ils deviennent de redoutables combattants lors des corps à corps sanglants des abordages. La vie routinière des chasseurs est rythmée par le passage des navires ou d'homériques orgies dans les tavernes de l'île de la Tortue. Les revenus de la chasse ont tôt fait de disparaître dans le jeu et l'alcool.

Les boucaniers vivent de la chasse, vagabondent et maraudent à proximité des villages et des plantations. Groupés en petites bandes, ils sont rejoints, au XVIIe siècle, par les planteurs ruinés lors de la crise du tabac, les déserteurs et les jeunes libérés de leur engagement. Le «fusil à giboyer» est le compagnon indispensable du boucanier.

Voici le portrait qu'Oexmelin dresse des boucaniers : «Ils s'associent 15 ou 20 ensemble, tous bien armés d'un fusil de quatre pieds de canon, et ordinairement d'un pistolet ou deux à la ceinture [...]; avec cela, ils ont un bon sabre ou un coutelas.»

Les Frères de la Côte ou la fraternité des marginaux

Craignant les représailles espagnoles, les boucaniers s'installent «dans des endroits inaccessibles (...). Ils vivent là comme des sauvages, sans reconnaître l'autorité de quiconque et sans chef». L'existence indépendante des boucaniers se retrouve chez les aventuriers qui abattent le bois de teinture sur la côte du Honduras et dans le golfe de Campeche. En 1670, le fameux William Dampier, pirate à ses heures, s'engage dans un groupe de bûcherons. On tire des charges de cent à cent cinquante kilos vers la côte où viennent mouiller les bateaux de la

Nouvelle-Angleterre. Dans l'humidité et la chaleur constantes, les hommes mènent une vie rude, toujours sur le qui-vive, à la merci d'un raid des Espagnols qui interdisent la coupe du bois dans leurs colonies. La haine des Espagnols, le goût d'une vie sans contrainte, l'espoir de faire fortune animent cette population instable de boucaniers et de coupeurs de bois. Avec les flibustiers, ils forment une communauté d'esprit, les Frères de la Côte. Ils partagent une même solidarité et un même amour de la piraterie. Entre les groupes l'osmose est totale. Un temps on devient boucanier, puis on se lance dans la flibuste, enfin on se réfugie chez les coupeurs de bois du Honduras. Le terme flibustier, dérivé du néerlandais *vrijbuiter*, libre faiseur de butin, apparaît au début du XVIIe siècle après les exploits des pirates hollandais.

Les Hollandais, voulant aussi profiter de la manne espagnole, s'adonnent au brigandage

À cette époque, les navires hollandais se livrent à la contrebande dans les Antilles. Ils achètent le tabac des plantations et vendent des draps et de la quincaillerie. La réaction espagnole est foudroyante: les Hollandais capturés sont envoyés aux galères et leurs capitaines pendus. L'état de guerre permanent entre Hollandais et Espagnols se traduit par une course endémique. La Hollande encourage aussi la piraterie : il faut, selon une expression de l'époque, «couper les veines du Roi», priver l'Espagne de l'argent américain et saper ainsi sa puissance économique. Pour cette raison politique, les Hollandais fournissent des armes aux boucaniers et aux pirates anglais qui croisent au large de Cuba ou de la Jamaïque. Lorsque les hostilités cessent entre les deux nations, des équipages hollandais rôdent toujours dans les Antilles et s'adonnent sans retenue aucune à la plus orthodoxe piraterie.
En 1635, Pie de Palo, un capitaine hollandais surnommé «el Pirata», se présente avec ses deux

“ Les boucaniers n'avaient pour habillement qu'une petite casaque de toile et un caleçon qui ne leur venait qu'à la moitié de la cuisse. Il fallait regarder de près si ce vêtement était de toile ou non, tant il était plein de sang. Ils étaient basanés, quelques-uns avaient les cheveux hérissés, d'autres [les avaient] noués; tous avaient la barbe longue et portaient à leur ceinture un étui en peau de crocodile dans lequel étaient quatre couteaux avec une baïonnette.”

Oexmelin.

navires à l'entrée de la rade de Santiago de Cuba. Les hommes sont tous déguisés en franciscains. Le gouverneur envoie une barque à leur rencontre. Grâce à leur subterfuge, les pirates entrent dans la cité et se livrent à un pillage systématique.

El Pirata avait installé son quartier général dans une île au sud de Cuba, l'île de la Vache, mais la plupart des flibustiers, à partir de 1630, se regroupent à l'île de la Tortue.

Mythique île de la Tortue, repaire de trafiquants, plaque tournante de tous les commerces louches

Au nord de Saint-Domingue, l'île de la Tortue va rester pendant une génération, de 1630 à 1660, la capitale internationale de la piraterie antillaise, véritable tête de pont de la flibuste.

Cette terre, de vingt-cinq kilomètres de large, semble avoir été prédestinée à protéger, selon la plaisante expression d'un contemporain, le «fumier de l'univers». Au nord de l'île se dresse la «côte de fer», des montagnes inaccessibles plongeant dans la mer. Au sud, une anse bien abritée offre un port que

Cette vue du fort de la Tortue, destinée à illustrer l'ouvrage d'Oexmelin, ressemble plus à une forteresse édifiée par Vauban qu'au fort de bois construit par les flibustiers. La proximité de Saint-Domingue fait de ce refuge le repaire de tous les vagabonds incapables de trouver un emploi ou de s'établir, de «gens des bois», de chasseurs et autres aventuriers venus s'échouer dans les îles : monde cosmopolite et réservoir inépuisable de la piraterie américaine.

fréquentent les pirates français et anglais mélangés d'individus des divers lieux de l'Europe. La Tortue présente un avantage stratégique remarquable pour les aventuriers : elle est située face aux Bahamas, passage obligé des galions espagnols de La Havane. Ils sont donc aux premières loges, guettant les navires égarés, voyant même s'échouer des galions remplis d'or lors des tempêtes meurtrières.

La vitesse et la rapidité de manœuvre sont les éléments primordiaux du navire pirate. En haut à droite, la barque des îles : 20 à 25 mètres de long, 6 mètres de large, gréée d'un seul mât très haut à voile triangulaire. En dessous, la brigantine possède un gréement identique permettant de remonter au vent et de surprendre les galions. En bas, la petite frégate de dix canons sera le coursier des pirates de haute mer au XVIIIe siècle.

Dans les coulisses de la flibuste

Fins stratèges, les flibustiers préparent très soigneusement leurs expéditions, essayant d'évaluer au plus juste forces et faiblesses de l'adversaire. À cette fin, ils entretiennent dans tous les ports une armada d'informateurs, d'espions au petit pied qui les renseignent sur les cargaisons et l'armement des navires en partance.

Excellents marins, les flibustiers emploient des navires rapides, faciles à manœuvrer, qui serrent le vent de très près et sont donc capables d'approcher les lourds bateaux à voiles carrées qui, eux, sont obligés de louvoyer. Ils utilisent souvent des sloops ou des brigantins, navires légers équipés d'une voile aurique avec un gui. Mais pour remonter les rivières et débarquer les hommes, ils préfèrent la pinasse, petite embarcation de pêche à fond plat. Tous ces navires sont bien évidemment dérobés dans les ports des Antilles.

Indéniable point faible des flibustiers : leur armement. Certes, les hommes possèdent des sabres et des poignards. Pour les fusils, il arrive fréquemment que l'on manque de poudre. Quant aux canons... En réalité, les pirates comptent avant tout sur leurs qualités physiques, leur courage lors de l'abordage et les capacités manœuvrières de leurs navires. Comme l'affirme Oexmelin : « Leur génie supplée au défaut de leurs moyens. » Par-dessus tout, les flibustiers possèdent un atout majeur : leur irremplaçable expérience de navigation dans la mer des Caraïbes. Vieux loups des mers, ils connaissent merveilleusement vents, courants, marées et tempêtes.

À l'abordage !

Le moment le plus délicat d'une attaque en mer, c'est bien sûr l'approche du navire ennemi. Un certain nombre de navires de commerce possédaient de l'artillerie. Pour faire face à l'omniprésente menace pirate, les Espagnols arment systématiquement leurs bateaux. Inférieurs en artillerie, les flibustiers évitent d'essuyer celle de leurs adversaires. L'imagination pirate déploie alors un incroyable éventail de ruses.

Subterfuge le plus fréquent : on arbore un pavillon ami. Autre attrape-nigaud du répertoire : l'équipage et les canons donnent de la gîte au bateau et, après avoir baissé les voiles, quelques hommes lancent des signes de détresse. Une autre tactique éprouvée consiste à coucher les hommes sur le tillac, à laisser croire à l'adversaire qu'il n'y a qu'une poignée de marins à bord. Au cours du XVIIe siècle, la généralisation des lunettes de marine exige d'autres subtilités. Les flibustiers raffinent : demande de vivres, appel de détresse, déguisement de l'équipage qui, pour la circonstance, revêt des uniformes de la très respectable marine espagnole.

Les équipages pirates sont parmi les derniers à pratiquer l'abordage aux XVIIe et XVIIIe siècles. Dans les marines européennes, le développement d'un système d'armes combinant artillerie puissante et nombre imposant de marins et de soldats armés empêche toute approche des navires sauf de nuit ou par la ruse.

Les flibustiers, toujours inventifs, sont passés maîtres dans l'art de la guerre psychologique

Les bruits les plus insensés courent sur les cruautés qu'ils font endurer aux équipages récalcitrants. Tous les marins sans exception redoutent pareille rencontre, assortie en cas de résistance des pires tortures. En réalité, seuls les officiers peu coopératifs subissent des mauvais traitements : on se débrouille pour qu'ils révèlent les caches

éventuelles dans le bateau. Bien sûr, tout n'est pas fiction. Parmi les flibustiers, sévissent des brutes sanguinaires et des sadiques : le bien nommé Monbars l'Exterminateur, l'Olonnois ou Morgan. En fait, les flibustiers ont intérêt à éviter une confrontation violente. Si, malgré tout, elle a lieu, ils n'hésitent guère alors à massacrer les marins. Fines mouches, les flibustiers ne se hasardent pas à attaquer les galions qui escortent la «flotte de l'or». Ils guettent les traînards ou les navires séparés du convoi par le mauvais temps. Ils suivent pendant des heures le malheureux navire, à bord duquel l'inquiétude grandit. Afin d'accroître la tension, les pirates hurlent des menaces, brandissent leurs armes, toujours hors de portée des canons, jouent de la musique et tirent même des coups de fusil. Une mise en scène aussi effrayante est un moyen très efficace pour impressionner un adversaire dont l'équipage est loin d'être prêt au sacrifice de sa vie ! Lors de l'abordage, la détermination et les qualités

Lors de l'attaque de Panama, Morgan s'empare d'une «beauté» espagnole et tente en vain de la séduire. Quant au capitaine Low (ci-dessous), animé d'un instinct sadique, il se plaît à persécuter ses prisonniers et à trouver des tortures raffinées.

physiques des assaillants emportent l'avantage. Le plus souvent, seuls combattent les officiers, mieux armés que les marins. Les cadavres sont jetés par-dessus bord. On malmène un peu les hommes et on ne leur laisse le choix qu'entre le ralliement à la flibuste et l'abandon sur un rivage désolé.

La «chasse-partie», ou le partage du butin selon les règles pirates

Rien de plus facile à répartir que l'or et l'argent. En revanche les cargaisons de denrées coloniales doivent être vendues. À la Jamaïque, à la Tortue, plus tard dans les ports de la Martinique et de la Guadeloupe, les pirates débarquent avec leurs prises. La négociation avec les aubergistes et les marchands locaux chargés d'écouler les produits est une opération beaucoup plus délicate que l'abordage. En fait, les pirates se trouvent obligés d'accepter les conditions draconiennes dictées par ces requins. Le troc règne en maître, on s'approvisionne en armes et en munitions. Toutes les «affaires» se concluent à la taverne. En quelques jours de jeux, d'alcool et de femmes, les pirates perdent leur argent, certains même s'endettent, signant d'une croix une reconnaissance de dettes à des marchands !

Le chant du cygne de la flibuste

Au moment où les flottes espagnoles se renforcent, les flibustiers, de plus en plus menacés sur mer, se tournent vers les «cités de l'or», là où aboutissent l'or et l'argent des mines du Pérou et du Mexique : Vera Cruz, Maracaibo, Carthagène. Ces entreprises sur la terre ferme ne sont possibles que grâce à la volonté de certains chefs et au gonflement des effectifs de la flibuste.

Dans les années 1650-1660, la France et l'Angleterre s'intéressent aux Antilles non seulement pour y encourager une piraterie qui affaiblit la puissance espagnole, mais aussi pour entreprendre une colonisation de ces îles. Les Hollandais sont à Curaçao, les Anglais à la Jamaïque, les Français à la Martinique et à la Guadeloupe. Pour peupler ces îles, les Européens ont recours à tous les procédés. Ils y envoient des prisonniers, des soldats, des «engagés» – de pauvres hères qui ont signé un contrat de trois ans –, tous plus ou moins contraints par la misère. Les désertions de ces hommes alimentent la piraterie antillaise et grossissent les rangs de la flibuste.

La mainmise des États se manifeste par le contrôle de la Tortue et de l'ouest de Saint-Domingue. Les boucaniers et les flibustiers «acceptent» l'autorité du roi de France en 1664. Le développement de l'économie sucrière dans «les Isles» s'accommode mal d'agitation, aussi les gouverneurs détournent l'agressivité de la flibuste vers les possessions espagnoles.

Un chef pirate fait enterrer son trésor, protégé par un solide coffre de marine. Quelques capitaines prévoyants thésaurisent, mais le plus grand nombre dépense le butin, surtout s'il s'agit de pièces. Comme le fait remarquer Oexmelin après l'assaut pirate de Nau l'Olonnois contre Maracaibo : «Tant que l'argent dura nos aventuriers firent bonne chère, on ne voyait parmi eux que danses, festins, réjouissances. Quelques-uns, heureux au jeu, gagnèrent encore de nouvelles sommes considérables et allèrent en France dans le dessein d'acheter quelques marchandises et de les négocier au retour, comme beaucoup d'autres qu'ils avaient vus profiter sur leurs camarades, en leur vendant du vin et de l'eau-de-vie, liqueurs que ces gens aiment passionnément et pour lesquelles ils donneraient ce qu'ils ont de plus cher. Si bien que les cabaretiers et les femmes, par le travail de leurs mains, en eurent la meilleure part.»

La réussite des grandes expéditions est à mettre à l'actif de certains chefs pirates. Leur charisme en fait d'exceptionnels meneurs d'hommes. Les grands faits d'armes de la flibuste sont ceux de l'Olonnois contre Maracaibo en 1666, de Morgan contre Panama en 1670, de Van Horn contre Vera Cruz en 1683. Ces spectaculaires expéditions sonnent le glas de la flibuste.

Partout, les pirates subissent de lourdes pertes, ils sont décimés par la fièvre jaune et la malaria ou dévorés par les Indiens. D'ailleurs, Morgan comprend que la situation devient nettement défavorable. Il s'éclipse avec une partie du butin qui lui permet de se racheter aux

Sous son habit de gouverneur, Morgan garde un regard impitoyable. Ses exploits, ses cadeaux à la Couronne, une amnistie opportune transforment un vulgaire chef de bande en «chevalier».

Conduits par Mansfeld, les flibustiers tentent de prendre Carthagène (aujourd'hui en Colombie) mais les dissensions entre les capitaines pirates font échouer l'entreprise. La rade de Carthagène abritait les vaisseaux dans lesquels on chargeait l'argent du Pérou. Pendant la guerre de la Ligue d'Augsbourg (1689-1697), Louis XIV demande au gouverneur de Saint-Domingue, Jean-Baptiste Ducasse, de lancer un assaut contre la cité. Le baron de Pointis recrute plusieurs centaines de flibustiers avec sept de leurs bateaux en échange d'une promesse d'impunité. Mais, lors des combats, nombre de pirates préféreront rester à l'abri en attendant le pillage... qui n'eut pas lieu puisque de Pointis voulait conserver le butin pour le roi.

yeux de la Couronne anglaise. Nommé gouverneur de la Jamaïque, Morgan finira paisiblement ses jours dans l'île. La dernière grande expédition à laquelle participent les flibustiers est celle du baron de Pointis contre Carthagène en 1697. Heureusement, la troupe des deux mille soldats français envoyés aux Antilles est là car bien des flibustiers, parmi les cinq cents recrutés par le baron, abandonnent leur position.

Malgré la répression, au XVIIIe siècle, la flibuste persiste dans les îles. Elle prospère avec la contrebande, s'intègre à l'économie coloniale qui souffre du système de l'exclusif, le monopole commercial d'un État sur ses colonies. À bord de leurs «pirogues», les «pirates-caboteurs», selon le terme de l'époque, courent d'île en île, constituent des entrepôts ici et là, et commettent des actes de piraterie contre des navires de commerce.

Mais elle n'a pas l'envergure de la piraterie de haute mer qui avait vu le jour dans la seconde moitié du XVIIe siècle. Celle-ci, surtout anglaise et américaine, se greffe sur les multiples réseaux de contrebande mis au point à partir des colonies américaines hostiles aux monopoles des grandes compagnies de commerce anglaises.

La piraterie au service de l'État

Dans le port de La Havane, un navire français subit le bombardement des Espagnols. Toutes les puissances européennes tentent d'utiliser le service des pirates, quitte à les désavouer par la suite. Le meilleur exemple de cette compromission survient en 1717. Le roi de Suède, Charles XII, engagé dans un long conflit avec la Russie, cherche des alliés à l'ouest. Les opposants au roi d'Angleterre, Georges Ier, lui proposent leur soutien si Charles XII les aide à restaurer les Stuarts. Les conjurés prennent contact avec des groupes pirates à l'île de Sainte-Marie-de-Madagascar et aux Bahamas. Environ 1 500 pirates sont prêts à aider les comploteurs, surtout par haine de Georges Ier qui a fait pendre un grand nombre des leurs. Charles XII promet l'amnistie aux forbans et les autorise à écouler leur butin dans son royaume. La mort du roi suédois en décembre 1718 ne permettra pas au complot d'aboutir.

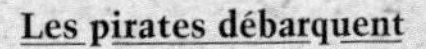

Les pirates débarquent

L'attaque de Carthagène démontre que les pirates pouvaient se montrer d'excellents soldats s'ils étaient entraînés par des chefs téméraires. Morgan connaît ainsi plus de succès terrestres que maritimes. D'ailleurs à la fin du XVIIe siècle, les convois de galions sont moins importants et les pirates se tournent vers d'autres objectifs. La prise des cités espagnoles exige une organisation et une logistique importantes. La maladie ou la famine déciment souvent les pirates avant qu'ils aient atteint leur objectif. Après avoir pris les faubourgs de La Havane, Morgan obtient 500 vaches et, en vue de soutenir un siège, il les fait abattre et saler. Lors de la prise de Porto Bello, «la méchante nourriture et l'impureté de l'air, causée par la quantité de corps morts qui n'étaient couverts que d'un peu de terre, causèrent bien des maladies pour les aventuriers», note Ocxmelin.

Les cyclones alliés des pirates

Dans les Antilles, les pirates peuvent recevoir l'aide inattendue du vent. En partant de La Havane, le convoi de galions espagnols remonte vers le nord-est, passe près des Bahamas et non loin de la Floride. Les tempêtes disloquent parfois le convoi. Des navires se retrouvent isolés, mâts brisés, dérivant à la merci de la pire rencontre. En 1715, un cyclone jette sur la côte de Floride, au cap Canaveral, onze galions chargés d'or. Une véritable course au trésor s'engage entre les Espagnols et les pirates. Le capitaine pirate Henry Jennings découvre les épaves et, avec l'aide de pêcheurs locaux, commence à remonter des caisses. Chassé par les Espagnols, il ne peut emporter que 350 000 pièces d'or. Les Espagnols, qui ont localisé leurs épaves, construisent sur le rivage un campement qui est plusieurs fois attaqué par les pirates.

Traqués dans les Antilles, sur terre et sur mer, les pirates prennent le large

La piraterie de haute mer se caractérise par une grande mobilité. Les flibustiers opèrent dans la «Méditerranée» américaine; les pirates de haute mer parcourent le monde. Ils veulent dominer toutes les mers, à l'instar de l'Europe expansionniste du XVIIIe siècle.

Pendant une génération leur impunité semble totale. L'apogée de cette piraterie se situe entre 1716 et 1726. Elle compte alors au moins cinq mille pirates, anglo-américains pour les trois quarts. La force de cette piraterie est d'être enracinée dans les colonies anglaises d'Amérique du Nord et de recruter ses hommes parmi les équipages d'anciens corsaires ou de déserteurs de la Royal Navy. La collusion avec les Américains de New York, de Charleston et de la Virginie alimente les colonies en esclaves, en ivoire et en or volés le long des côtes africaines.

Le *Sceptre,* navire du capitaine Edward Barlow. À Calcutta, ce dernier entend parler des tristes exploits du capitaine Kidd et part à sa poursuite.

Les forbans aident également les Américains dans leur contrebande avec les Antilles. En effet, la «spécialité» des navires sous pavillon noir, hissé pour la première fois vers 1700, c'est le «tour des pirates», gigantesque circuit vers les «mers chaudes». Ils partent de l'Amérique du Nord, traversent l'Atlantique pour doubler le cap de Bonne-Espérance puis remontent vers la mer Rouge, le golfe Persique et la côte de Malabar. Dans cette odyssée les pirates se ménagent escales, repaires et entrepôts. En 1716, Nouvelle-Providence, une des îles des Bahamas, se transforme en un véritable quartier général pirate, à proximité des galions espagnols et non loin des colonies américaines. D'autres bases sont aménagées en Guinée et en Sierra Leone. Dans l'océan Indien, les pirates s'abritent sur la côte occidentale de Madagascar, dans les Comores ou les Mascareignes.

Au XVIIIe siècle, l'océan Indien échappe encore à toute surveillance. Les pirates rançonnent les petits bateaux arabes, persans et indiens sans défense. Ainsi John Avery peut s'emparer sans violence

Bartholomew Roberts en tenue d'apparat (ci-dessous). Au second plan, ses deux navires portent un pavillon noir où il est lui-même représenté, sabre à la main, avec un crâne sous chaque pied. Au XVIIe siècle, les pirates anglais hissent un pavillon rouge, bientôt supplanté par le pavillon noir. Baptisé *Jolly Roger,* ce pavillon s'orne de squelettes, de têtes de mort ou de sabres. *Jolly Roger* vient peut-être de l'adaptation du terme «Joli Rouge», employé par les boucaniers découvrant le pavillon des pirates anglais.

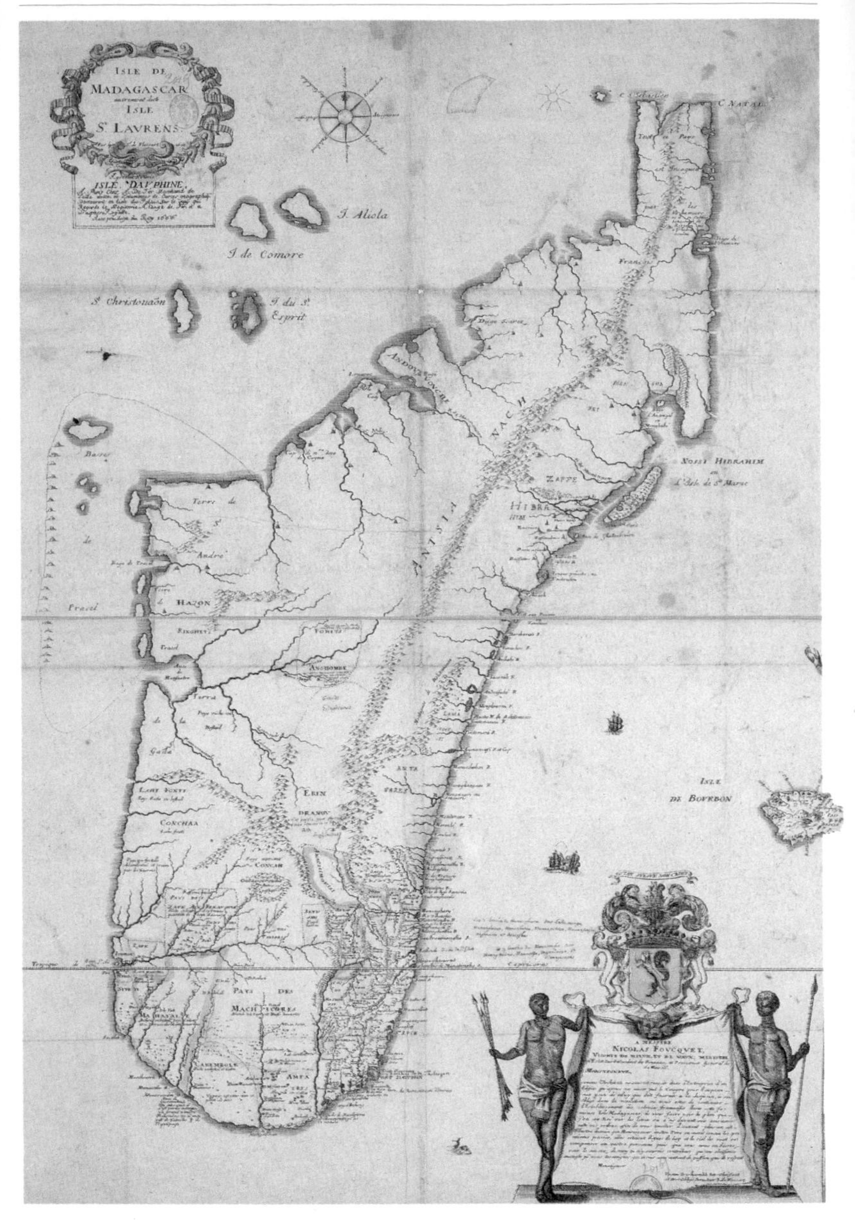

Isle de
Madagascar
Isle
St Laurens
Isle Dauphine
J. Aliola
J. de Comore
St Christouaon
J du St Esprit
C. Natal
Nossi Hibrahim
ou
l'Isle de St Marie
Zaffe
Terre de
St
Andre
Hazon
Pracel
Anosimbe
Gaila
Conchaa
Erin
Concar
Pays des
Machicores
Isle
de Bourbon
Nicolas Foucquet

d'un navire du Grand Moghol dans une baie de Madagascar. Non seulement il contenait de l'or mais aussi une «jolie princesse» qui fit le bonheur du pirate pendant quelques années avant qu'il ne regagne son Angleterre natale.

La piraterie «nouvelle vague» révèle de véritables princes de la mer

Brave bourgeois de Caroline, Stede Bonnet, ignorant tout de la navigation, se lance dans l'aventure. Le gentleman se transforme en forban, il finira pendu. William Kidd, envoyé à la chasse aux pirates dans l'océan Indien, rejoint leur cause. Son procès à Londres soulèvera l'émotion. D'autres pirates sont de «véritables monstres sortis de l'enfer» : Edward

Dans les années 1647-1674, Anglais, Français et Hollandais délaissent Madagascar. Les pirates anglais et français découvrent alors la quiétude de la grande île. Les capitaines Avery, Kidd, Williams, Tew, Le Vasseur, Misson viennent s'y reposer avec leurs équipages. Le Français Misson, inspiré par le dominicain Caraccioli, installe une petite communauté déiste et libertaire qui sera massacrée par les indigènes au bout de quelques mois.

Des vaisseaux de la Compagnie des Indes relâchent près de l'île de Madagascar. Dans les années 1630, les pirates hollandais sèment la terreur sur l'océan Indien. La colonie du Cap profite de la contrebande avec les pirates. Un siècle plus tard, les colonies anglaises d'Amérique en quête d'esclaves viennent s'approvisionner à Madagascar. Les pirates leur fournissent des hommes capturés sur la côte orientale de l'Afrique. Ils échangent également le produit de leurs pillages avec les Américains. Plusieurs expéditions de la Navy les disperseront.

Teach dit Barbe Noire, les capitaines Low, Fly, Lewis. Dans la corporation se retrouvent des femmes : Mary Read, Anne Bonny, ou des gens comme Bartholomew Roberts, devenu pirate malgré lui. Enfin, quelques-uns rêvent d'un autre monde. Le Français Misson, après avoir écumé l'océan, s'arrête dans la merveilleuse baie de Diégo-Suarez. Il entreprend d'y fonder «une colonie égalitaire», Libertalia, «refuge de tous les persécutés», au dire même du personnage. Toutefois, aucune trace de cette tentative ne demeure pour attester la réalité du projet. Rêve de pirate ou d'écrivain ? Au XVIIIe siècle, l'essor considérable des marines de guerre, principalement celle de l'Angleterre, met un terme rapide à la piraterie. Le gouverneur de Saint-Domingue relate, en 1733, que «les Anglais qui ont six corvettes indépendamment d'un nombre considérable de vaisseaux de guerre, ne font aucune grâce aux forbans». Les écrivains peuvent enfin s'emparer du terrible personnage du pirate.

Anne Bonny (à droite) devenue pirate par amour, rencontre le capitaine Jack Rackam et le suit quelques années. Comme elle, Mary Read échappera à la corde car elle est enceinte au moment de son procès. Personne ne sait comment elle termina sa carrière.

« En ces temps-là, les chevaliers mercenaires, les pêcheurs, tous les vauriens des côtes et des îles Kyushu rejoignaient les bandes de pirates. Leur nombre ne cessait d'augmenter. Ils ravageaient toutes les îles et la mer du Sud. La Chine des Ming les redoutait et dut envoyer beaucoup de soldats pour les combattre. En ces temps-là, les pirates étaient surnommés les Wokou. »

Chronique chinoise du XVIe siècle

CHAPITRE V

LES NAINS À L'ASSAUT DU GÉANT

En 1807, une veuve, Mme Ching, prend la tête de la Confédération des pirates chinois. Quelques années plus tard, devant les forces considérables de la répression, elle se soumettra à l'empereur.

Pendant toute son histoire, la Chine connaît de véritables épidémies de piraterie. L'ampleur du mal dépend de la conjoncture historique mais il se situe toujours dans les provinces du Sud-Est. Ces provinces, par leur milieu naturel et une importante population maritime, sont en quelque sorte prédisposées à la piraterie.

Dans les îles, sur les rivières, autour de Canton, subsiste une population misérable de pêcheurs, les Tankas. Ignoré de l'administration, regardé comme un paria, le Tanka n'a qu'un seul bien : la petite jonque où il habite. Au XVIIIe siècle, quatre-vingt mille jonques séjournent près de Canton. Univers flottant avec ses tavernes, ses marchés impénétrables à l'étranger. La pêche n'est pas toujours possible, notamment l'été lorsque la mousson balaie le rivage et que le poisson se fait rare. Alors le pêcheur devient pirate. À l'automne, avec le changement des vents, il revient à son premier métier. Entre-temps, il doit nourrir sa famille, il achète du riz à crédit et ne cesse de s'endetter à un taux usuraire.

Canton, métropole de la Chine du Sud, accueille tous les marchands de l'Asie du Sud-Est, les Indiens et les Arabes. Dans son port se croisent les jonques légères du fleuve et les puissantes jonques de haute mer. On distingue également (à gauche) des jonques qui servent d'entrepôts. Au milieu de cette noria zigzaguent de petites jonques, véritables taxis flottants ou simples habitations de pêcheurs.

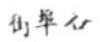

廣東

La jonque de haute mer, infatigable routier de l'océan

Depuis l'Antiquité, Canton est une ville au commerce florissant. À travers le réseau navigable des rivières ou des fleuves, tels que le Yang-tseu-kiang, le cabotage permet de redistribuer les produits de l'Asie occidentale. Au Xe siècle, la mise au point de la jonque de haute mer bouleverse le commerce international. La Chine du Sud-Est ne cesse d'accroître ses échanges commerciaux avec le Siam, la Malaisie, l'Inde et bientôt les Portugais. Cette circulation de richesses attire l'attention des empereurs Ming qui monopolisent à leur profit le commerce avec l'étranger. En 1534, des marins de la province du Fou-kien se rendent à Okinawa et concluent un accord avec des moines japonais pour importer des lingots d'argent, du cuivre et de l'or. La contrebande entre la Chine et le Japon se développe en pleine crise économique. La pression démographique conduit de nombreux paysans à délaisser leurs terres. D'ailleurs, les ruraux sont

L'Anglais Alexandre Hamilton découvre Canton en 1703 et affirme que plus de 5000 jonques se pressent alors dans le port. L'ouverture à l'Occident en 1757 accentue encore la prééminence commerciale de la ville qui est le seul port autorisé pour les Européens. Dans ce monde amphibie, toute la contrebande trouve aisément à s'écouler.

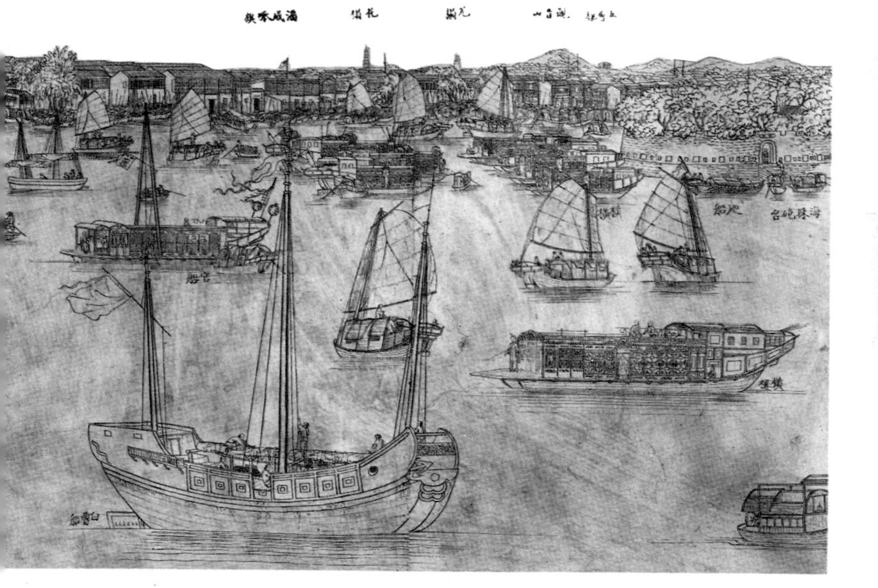

fascinés par le commerce où, grâce à la contrebande, se bâtissent rapidement des fortunes.

Commerce, contrebande ou piraterie ?

Aux Tankas, pirates traditionnels, se joignent des paysans, des aventuriers et des Japonais. Ces derniers, malgré l'utilisation de leur nom, Wokou, pour désigner la piraterie au XVIe siècle, ne représentent guère que trente pour cent de la population pirate. D'ailleurs, les bateaux japonais, de petite taille et à fond plat, sont inadaptés au raid ou au transport de marchandises lourdes.

Les pirates sont au service de familles commerçantes de Canton qui écoulent la marchandise et réalisent des profits considérables. Pendant des années, les Wokou se manifestent

Les Wokou sont le produit des luttes féodales qui déchirent l'archipel japonais aux XVe et XVIe siècles. Cette période, baptisée l'«âge du pays en guerre» voit les *daimyo,* seigneurs féodaux, diriger des bandes de samouraï vers le littoral chinois. Sur des bateaux légers de 36 mètres de long, s'entassent jusqu'à 300 pirates au péril de la mer et des typhons.

activement. De 1540 à 1565, le pouvoir central paraît impuissant. Malgré les décapitations publiques de pirates, les jonques continuent à attaquer les navires impériaux transportant des produits. Les relations avec le Japon se détériorent : des bases pirates sont établies aux îles Kyushu en toute impunité. Toutefois les repaires principaux sont situés dans les îles au large de la côte chinoise. Les pirates ne se livrent pas seulement à la contrebande, ils attaquent des villages à l'intérieur des terres, parfois à plus de cent kilomètres. Ils ont même l'audace de pénétrer dans les faubourgs de Nankin. Pillages et exactions finissent par rendre les pirates impopulaires. L'empereur emploie les grands moyens. Vers 1550, il rend les fonctionnaires responsables de leur région et augmente les effectifs militaires. Les pirates utilisent des arquebuses, on en dote les soldats à bord des navires de guerre. Les villes sont fortifiées et les garnisons renforcées. Cette politique porte ses fruits. La piraterie connaît de graves revers. Par ailleurs, le pouvoir assouplit sa politique commerciale pour la plus grande satisfaction de la bourgeoisie locale. Ainsi, en 1554, les Portugais sont les premiers Européens autorisés à entrer dans le port de Canton.

Peu soucieux de prosélytisme, les Hollandais sont mieux accueillis par les Chinois que les Portugais. En 1624, ils obtiennent le droit de s'installer à Taiwan. De là, grâce à la contrebande et à la piraterie, ils interceptent le trafic de la soie entre la Chine et les Philippines. Ils monopolisent ainsi l'importation de la soie vers l'Europe. Ils seront chassés de Taiwan par les bandes pirates de Koxinga et éliminés des parages de la Chine en 1683.

Les Portugais ne sont pas toujours ces honnêtes commerçants que laisse deviner la gravure ci-contre. En Extrême-Orient, ils se livrent à la piraterie, notamment les Feringhi, des aventuriers installés au Bengale.

Conquête mandchoue et renouveau pirate

La pénétration européenne brise le monopole commercial des Ming et affaiblit la dynastie. En 1644, les Mandchous chassent le dernier empereur Ming. Commence alors pour la Chine une période d'agitation qui profite à la piraterie. Les Mandchous réagissent en faisant évacuer les régions côtières de la Chine du Sud, contraignant à l'exode des centaines de milliers de Chinois. En 1683, une expédition punitive débarque à Taiwan. Les pirates sont éliminés et la Chine prend possession de l'île.

La révolte des Vietnamiens en 1787 relance l'activité des pirates. Pour se libérer du mandat chinois, les Vietnamiens, dirigés par les frères Tây Son, sollicitent les pirates qu'ils utilisent comme corsaires. Toutes les régions au sud de Canton sont abandonnées.

La Confédération pirate de la mer de Chine instaure un véritable contre-pouvoir

Dans les années 1800, la piraterie chinoise s'organise en une vaste Confédération, reposant sur des statuts précis : des procédures internes se mettent en place pour régler les conflits, la conduite et la tactique en mer, le partage du butin. La Confédération est composée de six escadres : les Pavillons rouge, noir, blanc, bleu, vert et jaune.

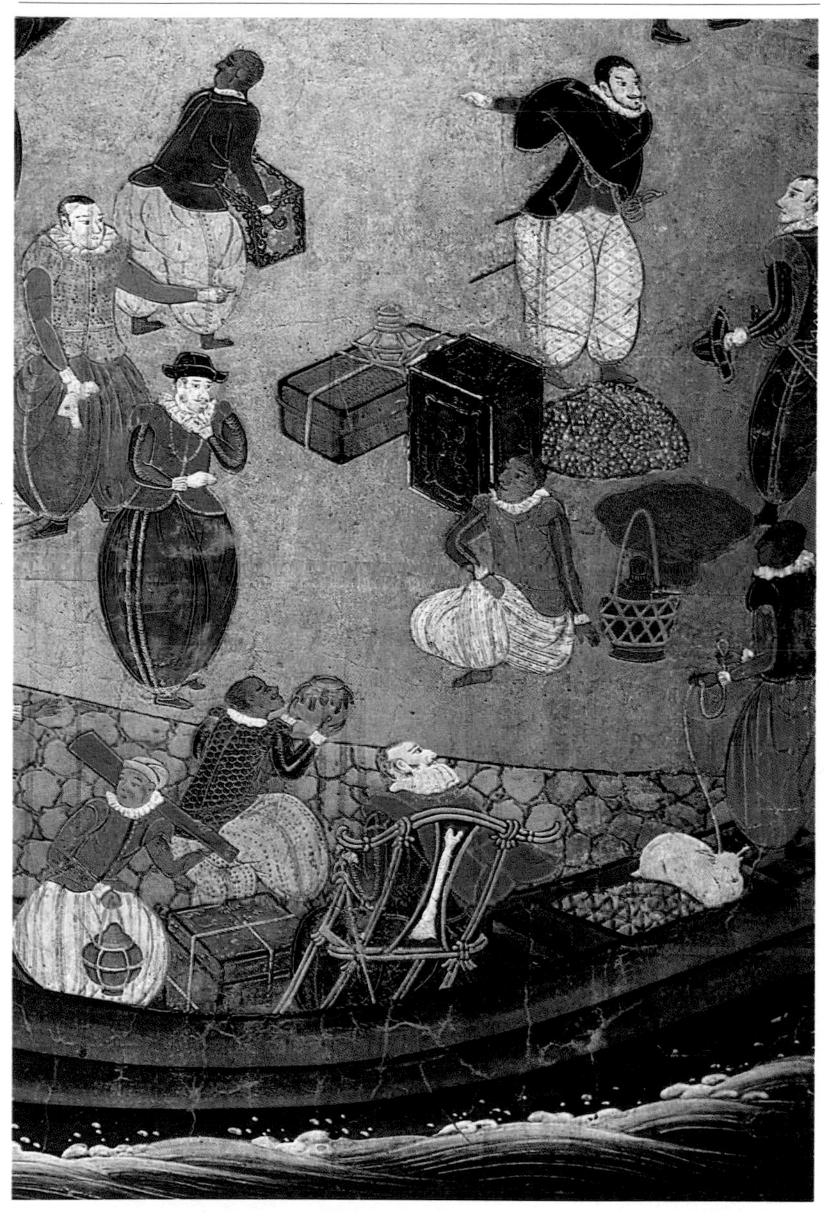

Sous un pavillon se regroupe une escadre de dix à quarante jonques, l'escadre la plus imposante réunit trente-six jonques et mille quatre cent vingt-deux hommes. Quant au butin, il est l'objet d'un partage strict. Vingt pour cent sont consentis au capitaine du bateau, le reste va à un «fond public», sorte de trésor de guerre de la Confédération.

La Confédération exerce un ascendant de plus en plus important sur les populations. Elle est crainte et courtisée. Face à la dégradation du climat politique et social, perceptible dans la corruption et la vénalité des mandarins et de l'administration chinoise, s'impose un «ordre pirate». De Canton au Viêt-nam, tous les bateaux sont surveillés, rançonnés ou attaqués. Les prises les plus appréciées sont les jonques de haute mer lourdement chargées qui rentrent de Batavia ou de Malaisie. Les pirates n'hésitent pas à s'en prendre aussi aux navires européens. Ils lancent aussi des opérations surprises le long des côtes, contre les forts, essentiellement pour obtenir des armes et des munitions. Les équipages des navires de guerre sont atrocement mutilés ou coupés en morceaux. L'omniprésence de la flotte pirate et la terreur qu'elle inspire conduisent les marchands à souscrire une protection. Les prix élevés des «cotisations» sont répercutés dans la vente des produits. Les pirates rançonnent également les personnes de haut rang ou les Européens. Les sommes collectées sont recyclées à Macao.

La mort du «Dragon à six têtes»

Le pouvoir central essaie de destructurer la Confédération. Le poing de l'empereur s'abat en 1805 avec la campagne militaire du gouverneur Na Yen Cheng. Escorté par de lourdes jonques armées de canons, ce dernier coule des navires pirates, réorganise les milices locales. Plusieurs centaines de pirates disparaissent.

Mais quelques années plus tard, les pirates démontrent leur force en s'approchant de Canton. Les Européens protestent, notamment les Anglais, inquiets de la présence pirate dans le commerce de l'opium. L'empereur demande à un navire américain d'intervenir. Les pirates connaissent de nouveau de graves échecs. L'empereur décide enfin de revenir à une politique d'indulgence qui a pour conséquence la reddition de la flotte au Pavillon noir en 1810, puis, quelques mois après, celle du Pavillon rouge de Chang Pao. Tous les pirates ne sont pas graciés. Cent vingt-six sont exécutés. Les flottes de moindre envergure se séparent l'année suivante. Bien des pirates en profitent alors pour s'intégrer discrètement aux grandes cités.

Installés à Hong-Kong en 1843, les Anglais n'admettent pas l'impunité dont jouissent les pirates. Le gouverneur anglais MacDonnel, exaspéré par les pillages, organise la répression. Il paie des espions et recense les jonques pirates. La justice britannique ne connait pas la pitié. Enfin, les Anglais entreprennent de désarmer toutes les jonques.

Si la Confédération expire, la piraterie ne meurt pas pour autant. Elle se poursuit jusqu'à l'entrée en scène des Anglais. Lors de la guerre de l'Opium entre 1839 et 1842, les Anglais, soucieux de préserver leur commerce de l'opium, éliminent les pirates, qui sont également pourchassés par les Français au Viêt-nam et en Chine. Les puissants navires à vapeur coulent les jonques indésirables.

L'arrivée des Européens en Orient bouleverse le commerce local

Pendant longtemps, l'intérêt des Européens pour l'Extrême-Orient a été exclusivement commercial, toute forme plus ambitieuse de colonisation s'avérant impossible. Ainsi la sécurité des routes maritimes fut-elle, de Vasco de Gama aux amiraux de la reine Victoria, l'une de leurs grandes préoccupations. Tous les traités conclus avec les potentats locaux prévoient la suppression de la piraterie.

Équipée de 4 ou 6 mâts, de 12 grandes voiles et de 4 ponts, la jonque de haute mer chinoise est capable de rivaliser avec les meilleurs voiliers européens.

Dès le XVIe siècle, Portugais et Hollandais se livrent une guerre commerciale acharnée. Les Hollandais triompheront et accapareront tous les comptoirs à l'exception de Macao, haut lieu du trafic d'opium et de la piraterie. Ils détruisent à leur profit les circuits commerciaux indigènes mis en place depuis des siècles et réactivent ainsi la piraterie des peuples les plus pauvres, telles les communautés pirates de la côte de Malabar en Inde. Sur cette côte ouest, au XVIIe siècle, les pirates interceptent le commerce des chevaux entre l'Inde et la Perse. Les Portugais, en les détournant de ce champ d'action, les engagent à leurs côtés dans une piraterie contre le commerce des épices. Dans l'archipel du Sud-Est asiatique, en Indonésie et aux Philippines, les pirates sont liés par un tribut à des potentats locaux. Au XVIIIe siècle, les Européens, surtout les Hollandais, éliminent ces roitelets. L'anarchie s'installe dans l'archipel, la piraterie contrôlée disparaît.

Pour mieux dominer la Chine, les Anglais développent le commerce de l'opium. Sur les bateaux pirates, l'opium fait partie des habitudes de l'équipage au même titre que les jeux de cartes. La vie à bord est difficile car les navires sont surchargés. Le riz et le poisson manquent souvent, on mange alors des cancrelats, des rats et du suif. Les hommes mariés sont accompagnés de leur épouse qui travaille à bord.

Pirates et Européens chassent dans les mêmes eaux troubles

Un siècle plus tard, les Hollandais se heurtent à une résurgence de la piraterie malaise dont les deux foyers se concentrent dans l'île de Mindanao et sur la côte sud-est de Sumatra. Les pirates bénéficient de la complicité des princes musulmans de l'archipel et s'approvisionnent en armes anglaises à Singapour malgré les récriminations des Hollandais. Ces derniers décident de liquider la piraterie. De Batavia, les Hollandais collectent tous les

À la tête de chaque Pavillon de la Confédération pirate chinoise règne un chef charismatique, tel le célèbre Cheng, qui poursuit une politique de clientèle afin de renforcer son autorité.

renseignements sur leurs ennemis, établissent d'excellentes cartes des côtes et signent des accords avec les princes musulmans qui doivent assurer la police dans leurs îles. Ils poursuivent également sans relâche les pillards qui se réfugient souvent sur de petites rivières. Dans les années 1840, les dernières jonques sont détruites.

En Asie, les pirates pratiquaient le trafic de l'opium, rançonnaient les villes, vendaient des esclaves, contrôlaient le commerce. Les ayant éliminés, les Européens peuvent désormais prendre leur place.

La Confédération établit son quartier général dans la presqu'île de Lei Tcheon. Elle capture des Européens pour apprendre le maniement des armes modernes.

Mai 1725. Condamné à mort, un flibustier français lance cette plainte avant de mourir : «Vous, capitaines et officiers marchands, par votre sévérité brutale envers vos équipages, vous les invitez, par la désertion, à devenir des forbans, les traitant comme des esclaves et les nourrissant moins bien. Ayez plus d'attention sur nos conduites, nous vous rendons responsables de notre mort.»

CHAPITRE VI
LES PIRATES NE MEURENT JAMAIS

“Il n'y a en effet qu'un pas du corsaire au pirate ; tous deux combattent pour l'amour du butin, seulement le dernier est le plus brave, puisqu'il affronte à la fois l'ennemi et le gibet.”

Washington Irving, *Kidd le Pirate.*

Ces cris de désespoir rejoignent les innombrables réflexions entendues lors des procès de mutinerie : «Mieux vaut être pendu que vivre ainsi.» La longue plainte des «gens de mer» revient dans tous les témoignages. Elle traduit dans un langage simple et direct le destin de milliers d'hommes embarqués, au dire même d'un matelot, dans une «prison flottante» où sévissent une discipline et une violence inimaginables. L'histoire et la littérature jettent un voile pudique sur la condition misérable des marins. On ne retient que l'héroïsme des équipages, l'abnégation des officiers et les capitaines courageux, sans se préoccuper d'une réalité quotidienne beaucoup moins enviable et glorieuse. En fait, mutineries et désertions ne cessent d'augmenter aux XVIIe et XVIIIe siècles.

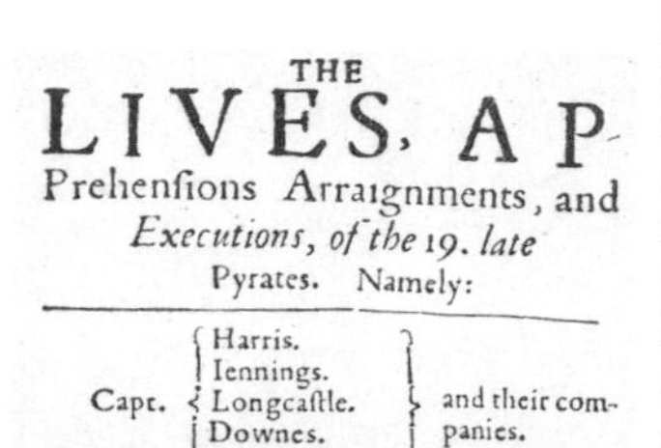

THE
LIVES, AP-
Prehenſions Arraignments, and
Executions, of the 19. late
Pyrates. Namely:

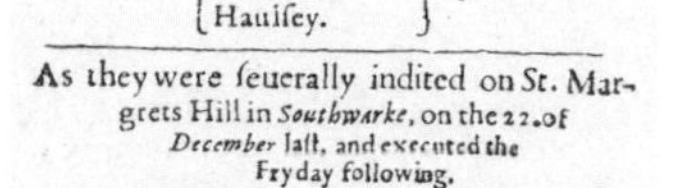

Capt. { Harris. / Iennings. / Longcaſtle. / Downes. / Hauiſey. } and their companies.

As they were ſeuerally indited on St. Margrets Hill in *Southwarke*, on the 22. of *December* laſt, and executed the Fryday following.

LONDON
¶ Printed for *Iohn Busby* the elder.

De la mutinerie à la piraterie

À partir du XVIe siècle, l'expansion européenne donne naissance au grand commerce océanique. Les voiliers se multiplient, ainsi que les marines de guerre. Il faut trouver des équipages. Or, la perspective de voyages océaniques effraie les populations : peur de l'inconnu, absences prolongées et conditions de vie en mer provoquent une véritable répulsion. La «presse» demeure la pratique d'enrôlement la plus courante : un capitaine envoie un groupe de solides gaillards ramasser tous les hommes du voisinage. Lors des conflits, les États utilisent les mêmes méthodes pour équiper leurs navires de guerre.

La peine capitale est la sanction habituelle pour les pirates capturés. Souvent le supplice a lieu sur les quais d'un grand port ou sur le rivage. La publicité faite pour le procès et l'exécution vise à décourager les candidats tentés par l'«aventure en mer».

Il n'y a pas de justice ou d'injustice sur un bateau, il y a seulement deux choses : le devoir aveugle ou la mutinerie

Seul maître à bord, le capitaine a un pouvoir quasi illimité. La loi garantit son autorité et la hiérarchie lui pemet de l'appliquer.

Marins malgré eux, les hommes tentent souvent de résister ou de protester contre leur situation. Toute contestation est châtiée par une peine strictement codifiée. Les coups s'achèvent parfois par la mort du matelot récalcitrant, camouflée en

En signant leur engagement, peu d'hommes imaginent la vie qui les attend. Comme le fait remarquer un mutin, «un bateau est une prison avec pas mal de chance de finir noyé, alors qu'un gars en prison a une chambre, une meilleure nourriture et une meilleure compagnie».

L'illustrateur anglais du XVIIIe siècle, William Hogarth, décrit avec un grand réalisme l'embarquement du pauvre Tom Idle, «Tom le Fainéant». Alors que sa mère pleure, les deux marins lui présentent l'alternative qui s'offre au matelot récalcitrant : le chat à neuf queues ou le gibet.

suicide. Vexations et brimades sont de règle, les officiers n'ont que mépris pour leur équipage.

L'oppression tyrannique et le manque de vivres sont les ferments de la révolte. La vie à bord est une perpétuelle confrontation entre l'individu et le groupe. Les marins font l'apprentissage du pire autoritarisme tout en découvrant la solidarité de leurs compagnons d'infortune avec lesquels ils vivent dans une totale promiscuité pendant des mois. Ils réagissent en fomentant des mutineries ou en désertant. Solution extrême, la mutinerie conduit les marins dans l'illégalité.

Comment, malgré soi, on devient pirate

L'enlèvement, la contrainte alimentent aussi la piraterie. Le rapt de jeunes garçons est partout très pratiqué. Les mousses, véritables souffre-douleur de l'équipage, se placent sous la protection d'un pirate après la prise du navire. Tous les chefs pirates sont entourés de quelques jeunes garçons.

À Livourne, en 1689, le pirate anglais William Dampier assiste au racolage auquel se livrent des pirates. Ils traînent dans les tavernes, repèrent un homme, le font monter à bord. Le capitaine, raconte Dampier, le reçoit «fort civilement, lui donne un

Après la prise de Carthagène, un officier espagnol attend la mort. L'Espagnol, maître de l'or et des terres, reste l'ennemi principal des pirates. La philanthropie de Monbars, surnommé l'Exterminateur, est douteuse. Oexmelin raconte que sa haine des Espagnols avait pour origine les cruautés qu'ils avaient perpétrées dans les Antilles.

Pyle

Les enfants de Robin des Bois

Le partage du butin est soigneusement réglementé. Le capitaine et le quartier-maître obtiennent une part et demie ou deux. Canonniers, charpentiers et chirurgiens une demie ou un quart, le reste de l'équipage une part. Ce système tranche sur les habitudes de répartition dans la marine où existe une importante hiérarchie des soldes et des disparités énormes entre le capitaine et ses hommes. L'accès à l'autorité et à un revenu supérieur est fondé sur le talent et le mérite. En cela, la piraterie impose une conception inédite du monde social. La société pirate dépasse également les clivages nationaux. Une grande solidarité lie tous ces hommes qui se saluent par l'expression «gens de mer». La fraternité pirate va jusqu'à venger les camarades pris. En 1717, un navire pirate fait naufrage près de Boston et son équipage est emprisonné. Quelques mois plus tard, un capitaine de Boston tombe entre les mains de pirates qui lui disent que «si l'on avait brutalisé les gars à Boston [...] ils tueraient tous les gens de Nouvelle-Angleterre».

La solitude du pirate

Un pirate qui ne respecte pas les lois de sa société risque d'être débarqué sur une île déserte où «on ne lui [laisse] pour toute provision qu'un fusil, un peu de plomb, une bouteille pleine de poudre, une autre d'eau». La confiance et la fraternité demeurent les ciments de la société pirate. Lors de sa confession en 1718, le pirate Edward Davis explique que le serment sur l'honneur était exigé des nouveaux membres : « Au début les anciens se méfiaient un peu des nouveaux, puis peu après les nouveaux juraient fidélité et de ne pas trahir la compagnie. Tous étaient consultés et agissaient ensemble par la suite sans aucune distinction. »

verre de vin avec une serviette blanche, lui promet des milliers de piastres». Une fois en mer, «la vie du pauvre matelot n'a rien de plus triste et de plus malheureux». Au XVIIe siècle, en Angleterre, les capitaines pirates ne procèdent pas autrement, c'est ainsi qu'un malheureux marchand de volailles londonien se retrouve, ahuri, au milieu des écumeurs de mers !

Les équipages pirates ne vivent pas tous dans la terreur. Dans les mers américaines, la société pirate revêt un caractère original. Égalitaire, elle se constitue en réaction à la société maritime strictement hiérarchisée des XVIIe et XVIIIe siècles.

Le capitaine, figure emblématique de la piraterie

Les flibustiers choisissent leur chef. Mais l'incompétence ou la violence dont il peut faire preuve risque de le conduire… sur une île déserte !

Devant son adversaire stupéfait, Mary Read dévoile sa féminité. Les pirates constituent des sociétés d'hommes, d'ailleurs beaucoup d'équipages refusent les hommes mariés. Dans cet univers masculin, les femmes ne peuvent être qu'un objet de discorde.

En fait, le meneur d'un groupe pirate a besoin d'un certain consensus et d'un minimum de discipline librement consentie. Certains chefs pirates finissent par se comporter en capitaines autoritaires et brutaux, mais ils s'appuient toujours sur une partie de l'équipage. Toutefois, une telle politique mène souvent à la rupture du groupe.

Les capitaines pirates ont fasciné leur époque. L'imagerie a retenu les exploits d'hommes mégalomanes et sadiques. Il est certain que le charisme d'un capitaine ou d'un meneur dépend tout autant de ses qualités que du mythe qu'il sait créer autour de sa personne. Les actions d'éclat, les cruautés excessives, les costumes excentriques, la chance transforment un simple capitaine en héros.

Le courage, la ruse, la cruauté et la débauche. Les vertus cardinales de la piraterie sont représentées ici à travers les portraits de Morgan, de Grammont et d'Ali Kodja. Au XIXe siècle, les romanciers s'orientent vers une histoire nostalgique. La piraterie reflète tous les fantasmes et toutes les pulsions de la société.

Le contrat social pirate

Avec ou sans charisme, le capitaine ne peut aller contre la volonté de ses hommes, des marins armés et prêts à tout. Une «convention» ou une «chasse-partie» règle les rapports entre les hommes. Ce contrat stipule un certain ordre et l'obéissance au chef, il met en valeur la solidarité et le dialogue. Il va parfois jusqu'à tarifer les blessures et les actes d'héroïsme. Le mérite, la compétence et bien sûr le courage sont au hit-parade des valeurs pirates. Le quartier-maître, les gabiers et les canonniers sont désignés au mérite. Les hommes entretiennent des

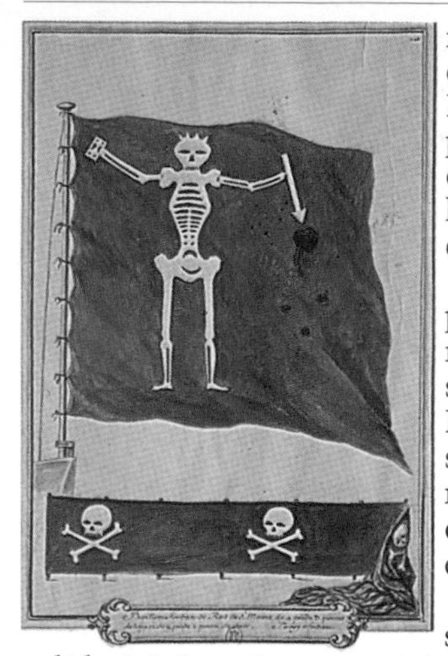

Les pavillons arborés par le navire forban *le Sans-Pitié* sont un des moyens d'afficher sa révolte, au même titre que le nom des navires. Le bateau de Stede Bonnet est baptisé *Revenge*, celui de John Cole, *New-York's-Revenge*. Le nom de *Revenge*, «vengeance», est fort prisé des pirates mais certains utilisent aussi des noms ironiques tels *la Sainte-Trinité*, *Joyeux-Noël*, *l'Ange-Noir*, *le Prophète-Daniel*.

rapports directs, empreints de violence. Lors des conflits, le pugilat ou le duel sont des pratiques habituelles. L'équipage compose alors le jury.

La communauté des pirates perpétue les rites et les pratiques sociales de la marine. L'instabilité de leur situation et de leur vie renforcent les liens d'amitié et d'amour entre les hommes.

L'individualisme s'efface devant la solidarité. Les pirates «se joignent toujours deux ensemble et se nomment l'un et l'autre matelot». Le «matelotage», cette coutume pirate rapportée par Oexmelin, existait déjà à bord des navires. Dans le cas de la piraterie, elle est réactivée par l'environnement particulier et les risques permanents auxquels sont soumis les deux hommes. Associés pour le meilleur et pour le pire, une grande passion peut les unir. Dans un milieu où les femmes sont absentes, les pulsions sexuelles, avivées par la tension des combats, aboutissent à l'homosexualité.

«Quand les vivres vinrent… à manquer»

La vie à bord alterne de longues périodes d'inactivité et des moments de tension extrême. Trop nombreux, les pirates vivent dans une promiscuité effrayante. La surpopulation, l'impossibilité de stocker des vivres en abondance expliquent la hantise de la faim qui tenaille l'équipage. Dans les années 1620, des flibustiers français, après avoir erré dans la mer des Antilles sans trouver la moindre prise, sont condamnés, si l'on en croit le journal du capitaine, à manger les «souliers, gants, poches de cuir, gaines de couteau, crottes de rat, graisse de mâts» jusqu'à ce que l'équipage réussisse à prendre «un grand requin qui

PAVILLONS ET FLAME
du Navire Forban nommé le Sanspitié
arrivé à la Coste du Pouliguen pres de Nantes, le 20e Mars 1729.

Pavillon de Ras de St. Maur, long de 22. pieds 9. pouces & large de 14. pieds 9. pouces.

Déguisés en femmes, jouant du violon ou lisant, les pirates apparaissent comme de paisibles voyageurs dont on peut approcher le navire sans inquiétude. On imagine la suite... Tous les pirates ne sont pas des brutes sanguinaires, ils savent parfois être justes. En avril 1719, le navire du capitaine Snelgrave est pris par l'équipage pirate de Cooklyn près des côtes de l'Afrique. Douze pirates s'approchent dans une barque et montent à bord. Le capitaine ordonne à ses hommes de s'armer, ils refusent. Le quartier-maître pirate se précipite sur Snelgrave avec un pistolet à la main. Des marins crient : «Ne le tuez pas, nous n'avons jamais eu un homme si bon.» Épargné, Snelgrave partage la vie des deux cent quarante pirates pendant un mois. Témoin de la prise d'un petit voilier, il bénéficie encore une fois de la mansuétude de certains pirates. Ils empêchent l'incendie du navire en arguant que les matelots perdront tout leur salaire au retour. Libéré, Snelgrave rentre à Londres, laissant onze des ses hommes rejoindre les pirates.

fut incontinent mis à la chaudière». Dans les «îles», les pirates mangent tout ce qu'ils trouvent : petits caïmans, fous de Bassan, fruits sauvages.

Donne du rhum à tes hommes...

Un navire pirate peut rester des semaines sans rencontrer le moindre bateau. Le désœuvrement, l'ennui ou le jeu accroissent la tension. Les hommes se querellent, le capitaine est contesté. L'approche d'un navire crée une grande agitation. L'anticipation du combat, les risques de capture, les blessures possibles angoissent tous les pirates. En cas de victoire, le défoulement collectif tourne facilement à l'orgie lorsque l'équipage découvre de l'alcool.

Les capitaines pirates essaient de limiter les abus de boisson qui, cela va sans dire, compromettent sérieusement la discipline. Pourtant, ils gardent toujours une «réserve» de rhum, excellent remontant pour stimuler les hommes au moment de l'action. Bien des officiers, pirates ou non, sont des alcooliques notoires, piètres exemples pour leurs équipages. D'innombrables anecdotes évoquent ces «bateaux ivres», ces pirates, fin saouls, incapables d'attaquer un navire, voire de diriger le leur.

La débauche, la violence, l'alcoolisme constituent, aux XVIIe et XVIIIe siècles, la «culture de

L'alcool, la danse, les femmes constituent la trilogie de la joie chez les pirates. Les risques et la dureté de la vie à bord expliquent la véritable «folie» qui s'empare des marins dès qu'ils posent le pied à terre. De plus, les équipages sont fort jeunes. Une étude réalisée sur 117 pirates entre 1716 et 1726 montre qu'ils ont en moyenne 27 ans. Quelques pirates ont 50 ans, ce qui, pour l'époque et le métier, est un âge vénérable.

Flibustier imaginé par l'illustrateur américain Howard Pyle (1853-1911). Pyle se spécialise dans l'illustration de livres pour enfants et consacre un ouvrage entier aux pirates.

la taverne» commune à tous les marins. Une manière de vivre dans laquelle on noie ses souffrances et ses peines. L'homme de mer se résigne à son destin, se vantant «d'avoir une vie courte mais joyeuse», alors que son existence n'est que travail et souffrance. Mais ce fatalisme suicidaire donne parfois naissance à des formes de résistance : la fuite, la désertion, la mutinerie.

La piraterie aux avant-postes du capitalisme sauvage

L'aspect le plus étrange de la piraterie est son intégration à une économie de profit. L'histoire et le mythe se plaisent à mettre en lumière les pirates qui «ont réussi» avec brio à se reconvertir. Mais les autrcs, que sont-ils devenus ? Ils ont souvent profité des amnisties pour devenir colons ou retrouver un embarquement. Ont-ils enfoui discrètement quelque trésor pour leurs vieux jours ? Légende tenace et séduisante mais rarement vérifiée.

Lors de son procès, un pirate affirme plus prosaïquement qu'il «voulait un peu d'argent afin de tenir un commerce, et abandonner la mer avant d'être trop vieux». Bien des pirates, s'ils n'espèrent pas faire fortune, pensent du moins retirer quelque profit des risques encourus. En ce sens, ils représentent les meilleurs agents d'un capitalisme sauvage, se lançant dans la compétition en prenant le maximum de risques, tout en cherchant leurs propres intérêts. Là se trouve l'une des fascinations qu'exerce la piraterie aujourd'hui. Mais une autre facette se dessine, misérable, fragile... Le pirate exprime d'une certaine manière le dénuement et la vanité de l'action. Le nihilisme le hante.

Le pirate, porte-drapeau d'une révolution sociale ?

Le voilier des Temps modernes est une puissante machine, anticipation de la manufacture du XIXe siècle. Les marins y sont soumis à des conditions de vie inhumaines sous la férule d'un maître aux pouvoirs dictatoriaux dont la seule préoccupation est le profit maximal pour de grands groupes commerciaux. Les marins font la douloureuse expérience de l'exploitation que subiront les ouvriers deux siècles plus tard. Le bateau devient le lieu de contestation d'un système oppresseur. Dans sa lutte, le marin se porte vers les valeurs qui nient ce système : le collectivisme, l'égalitarisme et la solidarité. Il veut imposer une conception inédite du monde social. En se tournant vers la piraterie, il pense saper l'ordre ancien tout en réalisant son vieux rêve de fortune. Mais la déraison de la piraterie l'emporte. Daniel Defoe rapporte que, chez les pirates, chaque homme «s'imaginait être un capitaine, un prince ou un roi». Comme tout homme, le pirate survit grâce à ses songes d'enfant.

Monté sur une branche, le capitaine pirate Antis simule un procès. La haine des autorités est l'une des constantes idéologiques de la piraterie. Devant la potence, un pirate «demande un verre de vin et porte un toast à la damnation du gouverneur». Lors de l'amnistie accordée par George Ier en 1717, un équipage s'écrie : «Maudit soit le Roi et toute autorité.»

TÉMOIGNAGES ET DOCUMENTS

A moi, forban, que m'importe la gloire,
Les lois du monde et qu'importe la mort ?
Sur l'Océan, j'ai planté ma victoire
Et bois mon vin dans une coupe d'or.
Vivre d'orgie, c'est ma seule espérance,
Le seul bonheur que j'ai su conquérir.
Si sur les flots, j'ai passé mon enfance,
C'est sur les flots qu'un forban doit mourir !

Le Forban, chanson de marin

Au chevet des Frères de la Côte

Chirurgien démuni, le jeune Alexandre Olivier Oexmelin s'embarque pour les Antilles et l'aventure en juillet 1666. Mécontent de sa condition d'engagé, il erre d'île en île pour aboutir à la Tortue. Pendant huit ans, il suit des groupes de flibustiers, revient en Europe puis repart aux Antilles où il assiste au siège de Carthagène.

Combien voit-on de personnes, capables des plus hautes entreprises, languir dans l'oisiveté faute d'avoir les choses nécessaires pour les exécuter ! Il n'en est pas de même des flibustiers ; leur génie supplée au défaut de leurs facultés, ils ne manquent jamais d'inventions pour trouver des munitions de guerre et de bouche. Voici comment ils s'y prennent pour avoir des bâtiments.

Ils s'associent quinze ou vingt ensemble, tous bien armés d'un fusil de quatre pieds de canon, tirant une balle de seize à la livre, et ordinairement d'un pistolet ou deux à la ceinture, tirant une balle de vingt à vingt-quatre à la livre ; avec cela ils ont un bon sabre ou coutelas. La société étant formée, ils choisissent un d'entre eux pour chef, et s'embarquent sur un canot, qui est une petite nacelle d'une seule pièce, faite du tronc d'un arbre, qu'ils achètent ensemble, à moins que celui qui est le chef ne l'achète lui seul, à condition que le premier bâtiment qu'ils prendront sera à lui en propre. Ils amassent quelques vivres, pour subsister depuis l'endroit d'où ils partent jusqu'au lieu où ils savent qu'ils en trouveront, et ne portent pour toutes hardes qu'une chemise ou deux et un caleçon. Dans cet équipage ils vont se présenter devant quelque rivière ou port espagnol, d'où ils prévoient qu'il doit sortir des barques, et dès qu'ils en découvrent quelques-unes, ils sautent à bord et s'en rendent les maîtres. Ils n'en prennent point sans y trouver des vivres et des marchandises que les Espagnols négocient entre eux, et moyennant cela ils s'accommodent, et trouvent de quoi se vêtir.

Si la barque n'est pas en bon état, ils vont la caréner dans quelque petite île, qu'ils nomment *caye*, et ils se servent

En 1697, des boucaniers sont recrutés par le Roi-Soleil, désireux de conquérir Carthagène, le grand port d'hivernage des galions espagnols de l'or aux Caraïbes.

des Espagnols qu'ils y trouvent pour faire cet ouvrage ; car ils ne travaillent que le moins qu'ils peuvent. Pendant que les Espagnols raccommodent la barque, les flibustiers se réjouissent avec ce qu'ils y ont trouvé, et en partagent les marchandises également. Lorsqu'elle est en état, ils laissent aller leurs prisonniers, et retiennent les esclaves s'il y en a. S'il n'y en a point, ils gardent un Espagnol pour faire la cuisine ; après quoi ils assemblent leurs camarades, afin de fournir leur équipage et d'aller en course. Quand ils se trouvent trente ou quarante, selon le nombre qu'ils ont concerté et la grandeur de leur barque, ils pensent à l'avitailler, et ils le font sans débourser d'argent. Pour cela ils vont en certains lieux épier les Espagnols, qui ont des « coraux » ou parcs pleins de porcs ; ils forcent ceux qu'ils peuvent surprendre, à leur apporter deux ou trois cents porcs gras, plus ou moins, selon qu'ils en ont besoin, et sur leur refus, ils les pendent, après leur avoir fait souffrir mille cruautés.

Pendant que les uns salent ces porcs, les autres amassent du bois et de l'eau pour le voyage, et tous étant convenus d'une commune voix du port où ils seront, ils font un accord ou compromis, qu'ils nomment entre eux « chasse-partie » pour régler ce qui doit revenir au capitaine, au chirurgien et aux estropiés, chacun selon la grandeur de son mal. L'équipage choisit cinq ou six des principaux avec le chef ou capitaine pour faire cet accord, qui contient les articles suivants.

1. En cas que le bâtiment soit commun à tout l'équipage, on stipule qu'ils donneront au capitaine le premier bâtiment qui sera pris, et son lot comme aux autres ; mais si le bâtiment appartient au capitaine, on spécifie qu'il aura le premier qui sera pris, avec deux lots, et qu'il sera obligé de brûler le plus méchant des deux, ou celui qu'il monte, ou celui qu'on aura pris ; et en cas que le bâtiment qui appartient à leur chef soit perdu, l'équipage sera obligé de demeurer avec lui aussi longtemps qu'il faudra pour en avoir un autre.

2. Le chirurgien a 200 écus pour son

coffre de médicaments, soit qu'on fasse quelque prise ou non, et outre cela si on en fait une, il a un lot comme les autres. Si on ne le satisfait pas en argent, on lui donne deux esclaves.

3. Les autres officiers sont tous également partagés, à moins que quelqu'un se soit signalé : en ce cas on lui donne d'un commun consentement une récompense.

4. Celui qui découvre la prise qu'on fait a 100 écus.

5. Pour la perte d'un œil, 100 écus ou un esclave.

6. Pour la perte des deux, 600 écus ou six esclaves.

7. Pour la perte de la main droite ou du bras droit, 200 écus ou deux esclaves.

8. Pour la perte des deux, 600 écus ou six esclaves.

9. Pour la perte d'un doigt ou d'une oreille, 100 écus ou un esclave.

10. Pour la perte d'un pied ou d'une jambe, 200 écus ou deux esclaves.

11. Pour la perte des deux, 600 écus ou six esclaves.

12. Lorsqu'un flibustier a dans le corps une plaie qui reste ouverte, on lui donne 200 écus ou deux esclaves.

13. Si quelqu'un n'a pas perdu entièrement un membre, et qu'il soit simplement privé de l'action, il ne laisse pas d'être récompensé comme s'il l'avait perdu tout à fait. Ajoutez à cela qu'il est au choix des estropiés de prendre de l'argent ou des esclaves, pourvu qu'il y en ait.

La chasse-partie étant ainsi arrêtée, elle est signée des capitaines et des principaux qui ont été choisis pour la faire ; ensuite tous ceux de l'équipage s'associent deux à deux, afin de se soigner l'un l'autre, en cas qu'ils soient blessés ou qu'ils tombent malades. Pour cet effet ils passent un écrit sous seing privé, en forme de testament, par lequel, s'il arrive que l'un des deux meure, il laisse à l'autre le pouvoir de s'emparer de tout ce qu'il a. Quelquefois ces accords durent toujours entre eux, et quelquefois aussi ce n'est que pour le temps du voyage.

Tout étant ainsi disposé, ils partent ; les côtes qu'ils fréquentent ordinairement sont celles de Caracas, de Carthagène, de Nicaragua, etc., lesquelles ont plusieurs ports où il vient

Des boucaniers pêchent la tortue, un de leurs aliments de base. On peut garder une tortue en vie dans la cale d'un navire, retournée sur le dos, en attendant le jour où le cuisinier l'utilise.

souvent des navires espagnols. A Caracao, les ports où ils attendent l'occasion sont Comana, Comanagote, Coro et Maracaïbo ; à Carthagène, à Rancheria, Sainte-Marthe et Porto-Bello ; et à la côte le Nicaragua, l'entrée du langon (ou grand lac) du même nom ; à l'île de Cuba, la ville de Saint-Iago, et celle de Saint-Christophe de la Havana, où il entre fort souvent des bâtiments. Pour ce qui est du Honduras, il n'y a qu'une saison de l'année où l'on puisse attendre la patache ; mais comme ce n'est pas une chose bien sûre, ils n'y vont que rarement. Les plus riches prises qui se fassent en tous ces endroits, sont les bâtiments qui viennent de la Nouvelle-Espagne (Mexique) par Maracaïbo, où l'on trafique le cacao, dont se fait le chocolat. Si on les prend lorsqu'ils y vont, on leur enlève leur argent ; si c'est à leur retour, on profite de tout leur cacao. Pour cela on les épie à la sortie du cap de Saint-Antoine et de celui de Catoche, ou au cap de Corrientes, qu'ils sont toujours obligés de venir reconnaître.

A l'égard des prises qu'on fait à la côte de Caracas, ce sont des bâtiments qui viennent d'Espagne, chargés de toutes sortes de dentelles et d'autres manufactures.

Ceux qu'on prend au sortir de la Havane sont des bâtiments chargés d'argent et de marchandises pour l'Espagne, comme cuirs, bois de campêche, cacao et tabac. Ceux qui partent de Carthagène sont ordinairement des vaisseaux qui vont négocier en plusieurs petites places où ceux de la flotte d'Espagne ne touchent point.

Pendant que les aventuriers sont en mer, ils vivent dans une grande amitié les uns avec les autres, et ils s'appellent tous « Frères de la Côte » ; ils nomment leur fusil leur « arme ».

Tant qu'ils ont de quoi, ils se traitent humainement, chacun fait son devoir sans murmurer, et sans dire : j'en fais plus que celui-là. Le matin sur les dix heures, le cuisinier met la chaudière sur le feu, pour cuire de la viande salée, dans l'eau douce, ou au défaut de celle-ci, dans l'eau de mer. En même temps, il fait bouillir du gros mil battu, jusqu'à ce qu'il devienne épais comme

Rock le Brésilien.

du riz cuit ; il prend la graisse de la chaudière à la viande pour la mettre dans ce mil, et dès que cela est fait, il sert le tout dans des plats. L'équipage s'assemble au nombre de sept pour chaque plat. Le capitaine et le cuisinier sont ici sujets à la loi générale ; c'est-à-dire que s'il arrivait qu'ils eussent un plat meilleur que les autres, le premier venu est en droit de le prendre et de mettre le sien à la place ; et il en est de même d'un officier. Cependant, malgré cela, un capitaine aventurier sera plus considéré qu'aucun capitaine de guerre sur navire du roi.

Car les aventuriers lui obéissent très exactement, dès le moment qu'ils l'ont élu. Mais s'il arrive qu'il leur déplaise, ils conviennent entre eux de le laisser dans une île déserte, avec son arme, ses pistolets et son sabre ; et sept ou huit mois après, s'ils en ont besoin, ils vont voir s'il est encore en vie.

On fait ordinairement deux repas par jour sur les vaisseaux aventuriers, quand il y a assez de vivres ; sinon on n'en fait qu'un. On prie Dieu à l'entrée du repas. Les Français, comme catholiques, disent le cantique de Zacharie, le *Magnificat et le Miserere*. Les Anglais, comme « prétendus réformés », lisent un chapitre de la Bible et du Nouveau Testament, et récitent des Psaumes.

Lorsque les aventuriers découvrent quelque vaisseau, ils lui donnent aussitôt la chasse pour le reconnaître ; on dispose le canon, chacun prépare ses armes et sa poudre, dont il est toujours le maître et le gardien. Pour ce qui est de la poudre à canon, elle s'achète aux dépens de tout l'équipage ; quelquefois le capitaine l'avance ; et si on l'a prise sur quelque vaisseau ennemi, l'équipage est exempt d'en rien payer. Lors donc qu'ils découvrent quelque vaisseau, s'il est espagnol, on fait la prière comme dans la plus juste guerre du monde, et on demande à Dieu avec ardeur de remporter la victoire et de trouver de l'argent ; après cela chacun se couche le ventre sur le tillac, et il n'y a que celui qui conduit le navire qui soit debout, et qui agisse avec deux ou trois autres pour gouverner les voiles. De cette manière on se met à bord du navire espagnol, sans se mettre en peine s'il tire ou non ; de sorte qu'en moins d'une heure on voit un bâtiment changer de maître.

Lorsque le bâtiment est rendu, on songe à solliciter les blessés des deux partis, et à mettre les ennemis à terre ; et si le navire est riche et qu'il vaille la peine d'être conservé, on se rend dans le lieu ordinaire de retraite, qui est pour les Anglais l'île de la Jamaïque, et pour les Français celle de la Tortue. On met sur le vaisseau pris un tiers de l'équipage, et personne n'a le privilège de commander à qui que ce soit d'y aller. On peut encore moins le faire de son propre chef ; mais on tire au sort, et celui sur lequel il tombe ne peut s'en dispenser, quand même il y sentirait de la répugnance, si ce n'est à cause de maladie ou d'incommodité, auquel cas son matelot ou son associé doit prendre sa place.

Quand on est arrivé au lieu de retraite, on paye les droits de la commission au gouverneur, ensuite le chirurgien, les estropiés et le capitaine, s'il a déboursé quelque chose pour l'équipage. Après quoi, avant que de rien partager, on oblige tous ceux de l'équipage d'apporter ce qu'ils auraient pu mettre de côté, jusqu'à la valeur de 5 sols ; et pour cela on leur fait mettre la main sur le Nouveau Testament, et jurer qu'ils n'ont rien détourné. Si quelqu'un était surpris dans un faux serment, il perdrait son voyage, qui irait au profit des autres, ou on en ferait un don à quelque chapelle. De plus on donne à chacun sa part de l'argent monnayé ; et pour celui qui est fabriqué aussi bien que les pierreries, on les vend à l'encan au plus offrant, et l'argent qui en provient est encore partagé. On en fait autant à l'égard des hardes et des marchandises ; ensuite on divise l'équipage en plusieurs classes de six ou de dix hommes, selon qu'il est plus ou moins nombreux. Après quoi, on fait autant de lots qu'il y de classes, et chaque classe, sans se faire connaître, donne sa marque à une personne qui les jette toutes indistinctement sur les différents lots. Enfin chaque lot est repartagé en autant d'autres lots qu'il y a d'hommes.

Le butin étant ainsi séparé, le capitaine garde son navire, s'il veut, et personne ne retourne que tout ne soit consommé ; ce qui ne dure que très peu de temps, car le jeu, la bonne chère et les autres débauches ne manquent point. [...]

Nau, dit l'Olonnois.

C'est ainsi que les aventuriers passent leur vie ; lorsqu'ils n'ont plus d'argent ils retournent en course, quelquefois à peine leur reste-t-il de quoi acheter de la poudre et du plomb. Il y en a beaucoup qui demeurent redevables aux cabaretiers. Quand il vient des navires de France, et parmi ces navires le vaisseau de quelque aventurier, ils y trouvent leur profit, à cause de la dépense excessive de l'aventurier, à qui rien ne coûte, jusqu'à ce qu'il n'ait plus d'argent ni de crédit ; car alors il se rembarque sans inquiétude, et il ne pense qu'à aller caréner son bâtiment quelque part.

Après s'être bien divertis, après avoir rétabli à loisir leur bâtiment et leur santé, ils se proposent un voyage, et l'exécutent de la manière que je l'ai dit. Voilà ce que j'avais à dire touchant les mœurs et la conduite des aventuriers.

Alexandre Oexmelin,
l'Histoire des flibustiers
au XVIIe siècle

Un écrivain pirate

Sous le nom de capitaine Charles Johnson, auteur de « l'Histoire des Pirates les plus notoires », se cache Daniel Defoe. L'écrivain anglais du début du XVIIIe siècle connaît une vie très agitée, condamné au pilori, comme les personnages dont il aime dessiner des portraits. Fasciné par les gens de mer, Defoe a certainement bénéficié, au cours de ses séjours dans les ports, de nombreuses informations inédites sur la piraterie.

Histoire de Marie Read

Nous allons présentement faire le récit d'une histoire pleine d'incidents extraordinaires, et dont les aventures peu communes pourraient passer dans l'esprit de plusieurs pour des fictions, ou pour un roman fait à plaisir, si la vérité n'eût été avérée par mille témoins qui furent présents au procès intenté contre Marie Read et Anne Bonny, qui sont les femmes pirates dont je vais décrire la vie.

Ce fut le procès qui les détermina à découvrir leur sexe, et c'est par ce procès que les habitants de la Jamaïque furent instruits de toutes les particularités de leur histoire, aussi véritable qu'il est vrai qu'il y a eu des hommes dans le monde tels que les pirates Black Beard et Stede Bonnet.

Marie Read naquit en Angleterre ; sa mère se maria fort jeune à un homme de mer, qui la quitta bientôt pour entreprendre un voyage, laissant sa femme enceinte d'un fils dont elle accoucha ensuite. Soit que son mari mourut en chemin, soit qu'il fit naufrage, elle n'en reçut aucune nouvelle ; c'est pourquoi comme elle était jeune et galante, elle s'ennuya bientôt de n'être ni femme, ni veuve et échoua contre l'écueil où tant d'autres échouent, c'est-à-dire qu'elle devint de nouveau grosse. Elle avait assez bonne réputation parmi ses voisins, et pour se la conserver, elle résolut de prendre congé dans les formes de tous les parents de son mari, sous prétexte de se retirer à la campagne pour y vivre parmi les siens propres. Elle partit en effet avec son fils qui n'avait pas encore un an. Ce fils mourut peu après son départ, et sa grossesse étant parvenue au terme, elle mit au monde un fille, qui est notre Marie Read.

La mère vécut dans sa retraite

pendant quatre ans, jusqu'à ce que n'ayant plus d'argent, elle songea à retourner à Londres, et sachant que sa belle-mère était en état de l'assister, elle résolut de métamorphoser sa fille et d'en faire un garçon, pour la présenter en cette qualité à sa belle-mère et la faire passer pour le fils de son mari. Quoique la chose ne fut pas fort facile et qu'il s'agissait de tromper une vieille femme, elle hasarda le paquet et réussit si bien que la vieille mère voulut la garder et l'élever ; mais la mère n'y voulut pas consentir : je ne pourrais, dit-elle, me résoudre à me séparer de mon cher fils ; de sorte qu'ils conclurent que l'enfant resterait près de sa mère, et que la grand-mère fournirait un écu par semaine pour sa subsistance.

La mère ayant ainsi gagné cet article, elle continua de l'élever comme un garçon. La fille étant venue à un certain âge, la mère trouva à propos de lui découvrir le secret de sa naissance et lui conseilla de cacher son sexe. La grand-mère vint à mourir dans ce temps-là, ce qui fit cesser tout d'un coup la subsistance qui venait par ce canal et les réduisit à la misère. C'est pourquoi elle résolut de mettre sa fille qui avait déjà atteint l'âge de 13 ans au service d'une dame en qualité de valet de pied. Elle n'y resta pas longtemps ; mais devenant forte et hardie, et se sentant une inclination au brigandage, elle s'engagea sur un vaisseau de guerre, où elle servit quelque temps ; puis quitta ce service et vint en Flandres, où elle prit parti dans un régiment d'infanterie en qualité de cadet et quoique dans toutes les occasions, elle se comporta avec toute la bravoure imaginable, elle ne put néanmoins obtenir aucun avancement ; c'est pourquoi elle quitta l'infanterie pour se mettre dans la cavalerie, où elle fit de si belles actions qu'elle acquit généralement l'estime de tous ses officiers. Pendant qu'elle faisait de si beaux progrès dans l'école de Mars, Vénus vint lui rendre une visite, elle devint éperdument amoureuse d'un Flamand, beau garçon, qui était son compagnon.

Un jour qu'ils étaient ensemble sous leur tente, elle trouva moyen de lui découvrir son sexe, sans qu'il parût qu'elle y avait contribué. [...]

Après une brève idylle, ils se marièrent mais leur bonheur fut de courte durée : le mari mourut.

Le peu qu'elle avait pu ramasser fut bientôt dépensé, ce qui l'obligea de quitter le ménage. Dans cette extrémité, elle résolut de s'habiller de nouveau en homme : elle partit pour la Hollande où elle s'engagea dans un régiment d'infanterie qui était en garnison dans une des places frontières ; mais la paix ne fournissant aucune occasion pour espérer quelque avancement, elle prit la résolution d'abandonner le régiment et de chercher fortune ailleurs. Pour cet effet, elle s'embarqua sur un vaisseau destiné pour les Indes Occidentales.

Il arriva que ce vaisseau fut pris par des pirates anglais, qui le laissèrent aller après l'avoir pillé ; mais Marie Read qui était le seul Anglais de la troupe fut gardée parmi eux.

Quelque temps après on publia dans toutes les places des Indes Occidentales la proclamation du Roi, qui pardonnait à tous les pirates qui se soumettraient dans un certain temps limité par cette proclamation. Tous ceux de la troupe dans laquelle se trouvait Marie Read acceptèrent le pardon et se retirèrent dans quelque endroit pour y vivre tranquillement. L'argent leur manqua bientôt et sur la nouvelle qu'ils apprirent que le capitaine Woods, gouverneur de la Providence, équipait des armateurs pour croiser contre les Espagnols, Marie Read avec plusieurs autres s'embarquèrent pour cette île, dans le dessein de prendre parti avec eux, bien résolus de faire fortune par quelque voie que ce fût.

Ces armateurs eurent à peine mis la voile, que les équipages de quelques-uns se soulevèrent contre leurs commandants, pour recommencer leur ancier métier de pirate : de ce nombre était Marie Read. Il est vrai que souvent elle a déclaré qu'elle avait eu horreur de ce genre de vie et qu'elle ne s'y était engagée qu'à force de sollicitations, quoique dans le temps de son procès fût instruit, deux hommes déposèrent sous serment, que pendant quelque action, aucun pirate n'avait paru ni si résolu ni si prêt à aller à l'abordage, ou à entreprendre quelque chose où il y eut du danger, qu'elle et Anne Bonny. Que particulièrement dans cette dernière action où elles furent prises, personne ne resta sur le tillac que Marie Read, Anne Bonny, avec encore un autre ; que sur le refus que firent ceux qui étaient sous le tillac de venir au combat, Marie Read avait fait feu sur eux, dont un pirate fut tué et plusieurs autres blessés.

Voilà en partie ce qu'on déposa contre Marie Read mais elle le nia. Quoi qu'il en soit, il est certain qu'elle ne manqua pas de courage et qu'elle ne fut pas moins remarquable par sa modestie ; car personne n'eut le soupçon de son sexe, jusqu'à ce que Anne Bonny, qui n'était pas si délicate en matière de chasteté, devint amoureuse d'elle, la prenant pour un beau et jeune garçon. Anne Bonny, qui voulut satisfaire sa passion, découvrit son sexe à Marie Read, qui jugeant par là des desseins de cette amoureuse, fut obligée à son tour de lui déclarer qu'elle était aussi bien femme qu'elle et par conséquent hors d'état de la contenter. La grande familiarité qu'il y eut entre elles donna de la jalousie au capitaine Rackam, qui était le galant d'Anne Bonny, jusque-là qu'il menaça de couper la gorge à son nouvel amant ; mais Anne Bonny, pour prévenir ce fâcheux accident, lui fit part du secret, avec prière de ne pas le révéler.

Le capitaine Rackam tint sa parole et garda si bien le secret, que personne de la troupe n'en eut jamais connaissance. [...]

Jusqu'à leur capture en 1720, Anne Bonny (à ga
Caraïbes.

Mais Marie tombe bientôt amoureuse d'un prisonnier et lui dévoile son véritable sexe. Cette passion devient réciproque.

Il arriva que dans le temps que leurs vaisseaux étaient à l'ancre près d'une île, ce jeune homme prit querelle avec un de la troupe. Ils se donnèrent rendez-vous à terre pour s'y battre selon la coutume des pirates. Cette nouvelle troubla extrêmement la pauvre Marie Read, elle en fut toute agitée, non pas qu'elle souhaitât qu'il eût refusé d'accepter le défi, elle avait elle-même trop de courage pour souffrir la moindre lâcheté dans son amant ; mais elle en appréhenda le succès et craignit qu'un bras plus fort ne terrassât un objet si aimé, sans lequel elle ne pouvait se résoudre à vivre. Lorsque l'amour s'est emparé d'un cœur généreux, il l'incite aux actions les plus nobles. Marie Read aima mieux exposer sa vie, que de hasarder celle de son amant ; dans cette résolution, elle fit querelle d'Allemand au pirate et le défia au combat. Le pirate accepta le défi, et s'étant trouvé au rendez-vous deux heures avant le temps marqué pour le combat de son amant, ils se battirent avec le sabre et le pistolet ; et Marie Read eut le bonheur de vaincre leur ennemi commun qu'elle tua sur la place. [...]

La Cour ne put s'empêcher de la condamner ; car entr'autres choses qu'on déposa contr'elle, on prouve qu'un jour discourant avec le capitaine Rackam, celui-ci la prenant pour un jeune homme, lui demanda quel plaisir elle pouvait prendre à s'engager ainsi parmi les pirates ; que sa vie était, non seulement dans un danger continuel, mais qu'une mort ignominieuse la devait terminer, si elle avait le malheur d'être prise. Sur quoi Marie Read répondit que la potence n'était pas ce qu'elle appréhendait ; que les gens de courage ne devaient point craindre la mort. Si les pirates, disait-elle, n'étaient punis d'une telle manière et que la peur ne retint beaucoup de poltrons, mille fripons qui paraissent honnêtes gens et qui néanmoins ne s'appliquent présentement qu'à tromper la veuve et l'orphelin, ou à chicaner et à supplanter leurs voisins se mettraient aussi en mer pour voler impunément, et l'océan ne serait couvert que de cette canaille ; ce qui causerait la perte totale du commerce.

Nous avons vu ci-devant qu'elle était enceinte, sur quoi la Cour fit surseoir l'exécution, et il y a apparence qu'elle aurait obtenu son pardon ; mais peu de temps après elle fut attaquée d'une fièvre violente dont elle mourut en prison.

Charles Johnson,
Histoire des pirates anglais

ary Read firent des ravages dans les

La légende d'un martyr

Au début du XVIII*e siècle, les bateaux remontant la Tamise croisent à Tilbury Point un gibet où se balance un cadavre enduit de goudron, cerclé dans des anneaux de fer. Le corps supplicié du capitaine Kidd, offert à la vue des équipages, signifie l'ouverture d'une guerre sans merci contre la piraterie. Dans sa conquête des océans la marine anglaise ne peut tolérer la morgue des capitaines pirates.*

A FULL
ACCOUNT
OF THE
ACTIONS
Of the late Famous
PYRATE,
Capt. KIDD.

With the Proceedings againſt Him, and a Vindication of the Right Honourable *Richard* Earl of *Bellomont*, Lord *Coloony*, late Governor of *New-England*, and other Honourable Perſons, from the Unjuſt Reflections caſt upon tehm.

By a Perſon of Quality.

DUBLIN:
Re-printed for *Matthew Gunn*, Bookſeller in *Eſſex-Street*, 1701.

Au cours du XVIIIe siècle, les marins anglais composent des sea shanties, *complaintes de travail chantées à bord des navires. Certaines chansons trouvent leur source dans des faits divers dramatiques : naufrages, meurtres, piraterie, amours malheureux. « La Ballade de Kidd », très populaire à bord des navires baleiniers, évoque la misère des gens de mer et la grande aventure de la piraterie, tentation pour bien des marins.*

La ballade du capitaine Kidd

J'avais nom Robert Kidd, du temps que j'naviguais, du temps que j'naviguais,
J'avais nom Robert Kidd, du temps que j'naviguais,
J'avais nom Robert Kidd.
J'enfreignais les lois du Seigneur,
Et m'conduisais abominablement, du temps que j'naviguais.

Mes parents m'avaient bien élevé, avant que je navigue, avant que je navigue,
Mes parents m'avaient bien élevé, avant que je navigue,
Mes parents m'avaient bien élevé.
M'apprirent à me garder d'l'enfer,
Mais j'me suis rebellé contre eux, avant de naviguer.

J'avais une bible par-devers moi, avant de naviguer, avant de naviguer,
J'avais une bible par-devers moi, avant de naviguer,
J'avais une bible par-devers moi,
Comme l'exigeait mon père,
Mais j'l'ai enterrée dans une dune, du temps que j'naviguais.

J'ai occis William Moore, au temps où j'naviguais, au temps où j'naviguais,
J'ai occis William Moore, au temps où j'naviguais,
J'ai occis William Moore,
Et j'l'ai laissé les tripes à l'air,
A une poignée de lieues d'la côte, au temps où j'naviguais.

J'ai été malade et même moribond, au temps où j'naviguais, au temps où [j'naviguais,
J'ai été malade et même moribond, au temps où j'naviguais,
J'ai été malade et même moribond.
Mille et mille fois j'ai fait l'serment
D'aspirer à plus droit chemin, au temps où j'naviguais.

J'ai bien cru que j'étais perdu, tandis que j'naviguais, tandis que j'naviguais,
J'ai bien cru que j'étais perdu, tandis que j'naviguais,
J'ai bien cru que j'étais perdu,
Et qu'j'avais épuisé mon temps,
Mais la santé m'est revenue, tandis que j'naviguais.

Mon repentir n'a pas duré, comme j'naviguais toujours, comme j'naviguais [toujours,
Mon repentir n'a pas duré, comme j'naviguais toujours,
Mon repentir n'a pas duré.
J'ai oublié tous mes serments,
La perdition était mon lot, et j'naviguais toujours.

Je guettais les navires de France, du temps que j'naviguais, du temps que [j'naviguais,
Je guettais les navires de France, du temps que j'naviguais,
Je guettais les navires de France.
J'les rangeais à l'honneur,
Et les rendais à merci par surprise, du temps que j'naviguais.

Je guettais les vaisseaux d'Espagne, du temps que j'naviguais, du temps que [j'naviguais,
Je guettais les vaisseaux d'Espagne, du temps que j'naviguais,
Je guettais les vaisseaux d'Espagne.
Je les battais sous mes canons,
Jusqu'à les envoyer par le fond presque tous, du temps que j'naviguais.

J'possédais 90 lingots d'or, quand j'naviguais, quand j'naviguais,
J'possédais 90 lingots d'or, quand j'naviguais,
J'possédais 90 lingots d'or,
Et une grosse bourse pleine de dollars,
Et encore d'autres richesses inouïes, quand j'naviguais.

Mais j'me suis fait doubler au bout du compte, je vais devoir expier, je vais [devoir expier,
Mais j'me suis fait doubler au bout du compte, je vais devoir expier,
Mais j'me suis fait doubler au bout du compte,
On m'a mis en prison,
Et la sentence est prononcée, je vais devoir expier.

Adieu, océan démonté, puisque je vais mourir, puisque je vais mourir,
Adieu, océan démonté, puisque je vais mourir,
Adieu, océan démonté,
Qui emmène en Turquie, en France et en Espagne,
Jamais je ne te reverrai, puisque je vais mourir.

Au banc des condamnés je dois conduire mes pas, je dois conduire mes pas,
Au banc des condamnés je dois conduire mes pas,
Au banc des condamnés,
Où s'attroup'ront des foules de gens,
Mais il va bien falloir que je l'endure et meure.

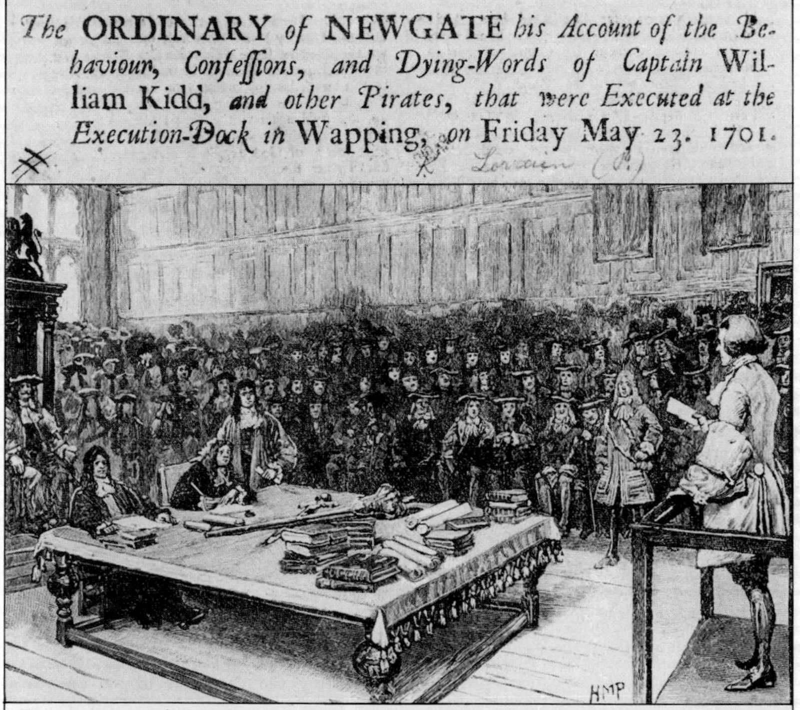

Le 27 mars 1701, les membres de la Chambre des communes écoutent avec un grand intérêt les déclarations de Kidd (à droite), en train de faire sa déposition. Celui-ci se borna à déclarer que, s'il avait enfreint la loi, « la faute en incombait à d'autres mieux versés que lui en la matière. »

Accourez, jeunes et vieux, venez me voir périr, venez me voir périr,
Accourez, jeunes et vieux, venez me voir périr,
Accourez, jeunes et vieux,
Accourez voir mon or,
C'est par lui qu'j'ai perdu mon âme, et maintenant j'en meurs.

Que ça vous serve de leçon, car je vais en mourir, car je vais en mourir,
Que ça vous serve de leçon, car je vais en mourir,
Que ça vous serve de leçon,
Fuyez les mauvais compagnons,
De crainte de suivre le même chemin, car je vais en mourir.

P. Goose,
The Pirates' Who's Who,
traduit par Marianne Bonneau

Le capitaine Kid, pirate

Héros malheureux ou pirate diabolique ? la duplicité du capitaine Kid n'a jamais été établie. En 1701, il est accusé du meurtre d'un marin et de piraterie. L'homicide d'un matelot était bien trop banal pour que la justice s'y intéresse. Kid se livrait-il à la piraterie ou à la course. A-t-il été la victime d'un complot ?

On ne s'accorde point sur la raison qui fit donner à ce pirate le nom du chevreau *(Kid)*. L'acte par lequel Guillaume III, roi d'Angleterre, l'investit de sa commission sur la galère l'*Aventure*, en 1695, commence par les mots : « A notre féal et bien-aimé capitaine William Kid, commandant, etc. Salut. » Mais il est certain que, dès lors, c'était un nom de guerre. Les uns disent qu'il avait coutume, étant élégant et raffiné, de porter toujours, au combat et à la manœuvre, de délicats gants de chevreau à revers en dentelle de Flandres ; d'autres assurent que, dans ses pires tueries, il s'écriait : « Moi qui suis doux et bon comme un chevreau nouveau-né » ; d'autres encore prétendent qu'il enfermait l'or et les joyaux dans des sacs très souples, faits de peau de jeune chèvre, et que l'usage lui en vint du jour où il pilla un vaisseau chargé de vif-argent dont il emplit mille poches de cuir, qui sont encore enterrées au flanc d'une petite colline dans les îles Barbades. Il suffit de savoir que son pavillon de soie noire était brodé d'une tête de mort et d'une tête de chevreau, et que son cachet était gravé de même. Ceux qui cherchent les nombreux trésors qu'il cacha sur les côtes des continents d'Asie et d'Amérique, font marcher devant eux un petit chevreau noir, qui doit gémir à l'endroit où le capitaine enfouit son butin ; mais aucun n'a réussi. Barbe-Noire lui-même, qui avait été renseigné par un ancien matelot de Kid, Gabriel Loff, ne trouva dans les dunes, sur lesquelles est bâti aujourd'hui Fort Providence, que des gouttes éparses de vif-argent suintant à travers les sables. Et toutes ces fouilles sont inutiles, car le capitaine Kid déclara que ses cachettes resteraient éternellement inconnues à cause de « l'homme au baquet sanglant ». Kid, en effet, fut hanté par cet homme pendant toute sa vie, et les trésors de Kid sont hantés et défendus par lui, depuis sa mort.

Lord Bellamont, gouverneur des Barbades, irrité par l'énorme butin des pirates dans les Indes Occidentales, équipa la galère l'*Aventure* et obtint du roi, pour le capitaine Kid, la commission de commandant. Depuis longtemps Kid était jaloux du fameux Ireland, qui pillait tous les convois ; il promit à lord Bellamont de prendre sa chaloupe et de le ramener avec ses compagnons pour les faire exécuter. L'*Aventure* portait trente canons et cent cinquante hommes. D'abord Kid toucha Madère et s'y fournit en vin ; puis Bonavist, pour y embarquer du sel ; enfin Saint-Iago, où il s'approvisionna complètement. Et de là il fit voile vers l'entrée de la Mer Rouge, où, dans le Golfe Persique, il y a un endroit d'une petite île qui se nomme la Clef de Bab.

C'est là que le capitaine Kid réunit ses compagnons et leur fit hisser le pavillon noir à tête de mort. Ils jurèrent tous, sur la hache, obéissance absolue aux règlements des pirates. Chaque homme avait droit au vote, et titre égal aux provisions fraîches et liqueurs fortes. Les jeux de cartes et de dés étaient interdits. Les lumières et chandelles devaient être éteintes à huit heures du soir. Si un homme voulait boire plus tard, il buvait sur le pont, dans la nuit, à ciel ouvert. La compagnie ne recevrait ni femme ni jeune garçon. Celui qui en introduirait sous déguisement serait puni de mort. Les canons, pistolets et coutelas devaient être entretenus et astiqués. Les querelles se videraient à terre, au sabre et au pistolet. Le capitaine et le quartier-maître auraient droit à deux parts ; le maître, le bosseman et le canonnier, à une et demie ; les autres

officiers, à une un quart. Repos pour les musiciens le jour du Sabbat.

Le premier navire qu'ils rencontrèrent était hollandais, commandé par le Schipper Mitchel. Kid hissa le pavillon français et donna la chasse. Le navire montra aussitôt les couleurs françaises ; sur quoi le pirate héla en français. Le Schipper avait un Français à bord, qui répondit. Kid lui demanda s'il avait un passe-port. Le Français dit que oui : « Eh bien, par Dieu, répondit Kid, en vertu de votre passe-port, je vous prends pour capitaine de ce navire. » Et aussitôt il le fit pendre à la vergue. Puis il fit venir les Hollandais un à un. Il les interrogea, et, feignant de ne point entendre le flamand, ordonna pour chaque prisonnier : « Français — la planche ! » On attacha une planche au bout-dehors. Tous les Hollandais coururent dessus, nus, devant la pointe du coutelas du bosseman, et sautèrent dans la mer.

A cet instant, le canonnier du capitaine Kid, Moor, éleva la voix : « Capitaine, cria-t-il, pourquoi tuez-vous ces hommes ? » Moor était ivre. Le capitaine se retourna, et, saisissant un baquet, le lui assena sur la tête. Moor tomba, le crâne fendu. Le capitaine Kid fit laver le baquet, auquel les cheveux s'étaient collés, avec du sang caillé. Aucun homme de l'équipage ne voulut plus y tremper le faubert. On laissa le baquet attaché au bastingage.

De ce jour, le capitaine Kid fut hanté par l'homme au baquet. Quand il prit le vaisseau maure *Queda*, monté par des Indous et des Arméniens, avec dix mille livres d'or, au partage du butin l'homme au baquet sanglant était assis sur les ducats. Kid le vit bien et jura. Il descendit à sa cabine et vida une tasse de bombou. Puis, de retour sur le pont, il fit jeter l'ancien baquet à la mer. A l'abordage du riche vaisseau marchand le *Mocco*, on ne trouva pas de quoi mesurer les parts de poudre d'or du capitaine. « Plein un baquet », dit une voix derrière l'épaule de Kid. Il trancha l'air de son coutelas et essuya ses lèvres, qui écumaient. Puis il fit pendre les Arméniens. Les hommes de l'équipage semblaient n'avoir rien entendu. Lorsque Kid attaqua l'*Hirondelle*, il s'étendit sur sa couchette après le partage. Quand il se réveilla, il se sentit trempé de sueur, et appela un matelot pour lui demander de quoi se laver. L'homme lui apporta de l'eau dans une cuvette d'étain. Kid le regarda fixement et hurla : « Est-ce là te conduire en gentilhomme de fortune ? Misérable ! tu m'apportes un baquet plein de sang ! » Le matelot s'enfuit. Kid le fit débarquer et abandonner marron, avec un fusil, une bouteille de poudre et une bouteille d'eau. Il n'eut point d'autre raison pour enterrer son butin en différents lieux solitaires, parmi les sables, que la persuasion où il était que toutes les nuits le canonnier assassiné venait vider la soute à or avec son baquet pour jeter les richesses à la mer.

Kid se fit prendre au large de New York. Lord Bellamont l'envoya à Londres. Il fut condamné à la potence. On le pendit sur le quai de l'Exécution, avec son habit rouge et ses gants. Au moment où le bourreau lui enfonça sur les yeux le bonnet noir, le capitaine Kid se débattit et cria : « Sacredieu ! je savais bien qu'il me mettrait son baquet sur la tête ! » Le cadavre noirci resta accroché dans les chaînes pendant plus de vingt ans.

Marcel Schwob,
Vies imaginaires

Les victimes témoignent

Dans la piraterie on oublie souvent les victimes. Il est vrai que beaucoup n'ont jamais pu témoigner ! En général, les pirates préféraient piller et rançonner passagers ou marins mais parfois ils n'hésitaient pas à en exécuter certains.

Une femme en mauvaise posture

Le 6 octobre dernier, un navire chilien, le Caldera, *parti la veille de San Francisco, étant venu échouer, par suite de mauvais temps, près d'une des nombreuses îles situées au sud-ouest de Macao, fut attaqué et pillé par les pirates. Une jeune Française, M*lle *Fanny Loviot se trouvait à bord ; les pirates la retinrent prisonnière ainsi qu'un autre passager, riche marchand chinois, et laissèrent partir le capitaine du bâtiment pour Hong-Kong, dans l'intention d'en obtenir une double rançon.*

La Patrie, 12 février 1855

Je rentrai dans une cabine où je me débarrassai de ma robe, seul vêtement qui me restât, et je m'habillai à la hâte ; un des matelots me donna sa casquette, sous laquelle je dissimulai le mieux que je pus ma chevelure. Une seule épingle à cheveux me restait encore, et des souliers dans lesquels mes pieds étaient nus.

A peine avais-je fini d'opérer cette transformation que des cris partant de toute part nous annoncèrent l'approche de nos nouveaux ennemis. Ils montaient à l'abordage. Pendant ce temps-là les autres jonques, plus petites que les nouvelles, fuyaient à leur approche, comme des sauterelles effarées qu'on aurait surprises dévastant un champ de blé ; nous nous réfugiâmes dans l'une des chambres de l'arrière. Le capitaine avait ordonné à ses hommes de se grouper de manière à me cacher aux premiers regards de l'ennemi ; lui-même me masquait de sa personne, et Than-Sing se tenait à mes côtés. Il y avait bien en ce moment une quarantaine de jonques autour du *Caldera*. Chacune portait de vingt à quarante hommes, et les plus grandes avaient dix ou douze canons.

Chaque jonque a un chef qui

A la tête des troupes pirates sévissant en mer de Chine se rencontraient parfois des femmes. Madame Lai Choi San, ici photographiée, est le chef des pirates de Macao, en 1930.

commande despotiquement à une troupe de ces forbans, enrôlés sous l'étendard du vol et de l'assassinat. Les pirates qui infestent les lointains parages de la Chine ont pullulé d'une telle sorte dans cet empire de quatre cents millions d'âmes qu'ils exercent impunément leurs actes de brigandage. Il arrive même souvent qu'ils se pillent et se tuent entre eux dans des combats à coup de canons, où la victoire reste avec le butin à ceux qui ont les jonques les mieux armées. Comment peut-il en être autrement dans ce pays, qui n'a pas la moindre marine organisée pour les détruire ?

Nous étions réfugiés, ainsi que je l'ai déjà dit, dans une des chambres du fond ; comme une digue rompue, en un instant un torrent de ces barbares s'abattit sur notre navire. Les premières jonques n'ayant pu emporter qu'une faible partie du chargement, les nouveaux pirates faisaient encore une bonne prise avec ce qui restait de marchandises ; ils s'occupèrent donc à piller la cargaison sans paraître prendre garde à nous. L'appât du butin semblait seul captiver leur attention. Celles de leurs jonques qui étaient suffisamment chargées se détachaient des autres, et faisaient voile vers les côtes pour transporter leur prise dans des villages qui leur servaient de repaire. Tous ces misérables semblaient également animés du même esprit de destruction. Ainsi, dans le but d'emporter le plus de choses qu'ils pouvaient, ils brisaient tout avec une rage insensée ; ils démolissaient à coups de hache les parois des cabines ; dans la dunette, les parois volaient en éclats ; le cuivre, le fer et le plomb étaient arrachés des panneaux et des portes enfoncées. Ils étaient parvenus à enlever le divan en velours vert qui avait été épargné

Ce grillage protège les ponts des vapeurs en mer de Chine contre les attaques de pirates.

jusqu'alors, à cause de sa grandeur ; les planchers étaient jonchés de débris de thé, de café, de sucre, mêlés à des morceaux de biscuit, etc. L'indifférence qu'ils nous témoignèrent tout d'abord, ne dura pas longtemps. Il nous fallait à tout moment montrer la doublure de nos poches pour leur prouver que nous ne leur dérobions rien ; la foule de ces monstres fut un instant tellement compacte en se ruant sur nous, qu'ils faillirent nous étouffer. La seule robe qui me restait lors de leur arrivée, et que j'avais essayé de cacher, me fut enlevée comme tout le reste. Than-Sing ayant quitté un instant mes souliers, ils lui furent dérobés en un clin d'œil, ce qui chagrina fort le pauvre homme ; ces chaussures étaient confectionnées à la mode de son pays. Un matelot parvint tant bien que mal, un peu plus tard, à lui en arranger une paire avec des morceaux de cuir qu'il découvrit dans des débris de toutes sortes.

Notre position au milieu de ces hommes dénaturés était horrible ; aussi l'égarement se peignait-il sur nos physionomies. Mon costume n'avait pu les tromper ; ma figure, sur laquelle la douleur était empreinte d'une manière si profonde, leur divulgua sans

Près de Hong-Kong, une trentaine de pirates attaque un navire anglais. Ils seront déroutés par un contre-torpilleur anglais.

doute mon sexe, car ils me considéraient avec une curiosité avide.

Plusieurs d'entre eux nous demandèrent d'un air railleur si nous pensions toujours aller à Hong-Kong ; comme nous restions silencieux et abattus, ils se mettaient alors à rire avec des éclats bruyants. Quelques-uns, aux regards cruels et féroces, s'approchaient de nos matelots et faisaient le simulacre de leur couper la tête. Mourante de frayeur, je me faisais aussi petite que possible en me blottissant au plus épais de mes compagnons. A quoi tenait notre existence au milieu de ces êtres sans pitié et sans loi ?

Fanny Loviot,
Ma Captivité dans les mers de Chine

La piraterie dans la mer Noire

Il y a quelques jours, dans le Temps, *Monsieur Gentizon, envoyé spécial de ce journal au Caucase, racontait une extraordinaire aventure maritime à laquelle il avait été mêlé. Il a réservé à* L'Illustration *les photographies reproduites ici et ses impressions personnelles pendant le pillage par des pirates du paquebot français* Souirah *dans la mer Noire.*

Le goût du meurtre et du pillage, la disparition de toute légalité, tous ces fléaux issus de la guerre mondiale ont fait renaître sur le Pont-Euxin le brigandage maritime à main armée, cet ancien fléau des mers, terreur des navigateurs européens au Moyen Age. On aurait pu croire cependant que cette race de hardis pillards qui infestaient la mer Méditerranée et la mer Noire avait disparu ; mais les mauvais instincts de l'homme sont éternels comme le monde ; étouffés parfois par les lois sociales, ils réapparaissent dès que les circonstances les favorisent. Il est singulier néanmoins qu'au début du XXe siècle, alors que nous possédons les ressources non seulement de la vapeur, mais de la télégraphie sans fil, il y ait encore dans la mer Noire, à la barbe de nos torpilleurs, des bandes de forbans assez téméraires pour attaquer un gros paquebot français, maîtriser son équipage et piller près de quatre cents passagers.

L'agression contre le *Souirah* fut organisée aussi minutieusement qu'au cours de la guerre un coup de main savamment réglé. A 9 heures précises, commandant, capitaine en second, télégraphiste, équipage sont matés en un tour de main par des groupes de deux ou trois brigands répartis sur tout

Voici le paquebot *Souirah* qui fut pillé dans la m

le bateau et qui ne cessent de tirer des coups de revolver pour maintenir parmi les passagers l'émoi nécessaire à la perpétration de leur crime. Me trouvant au début de l'attaque dans le fumoir et bientôt mêlé à une cohue de passagers affolés venus du pont, je descends dans la grande salle à manger de première classe où bientôt l'arrivée de deux bandits, revolver au poing, me fait comprendre tout de suite la nature du guet-apens. Porteur d'une somme assez rondelette dont je tiens à ne point être dévalisé, j'ai vite pris ma décision ; un couloir est devant moi, une cabine est ouverte, j'y pénètre et m'étends sous la couchette inférieure, tandis qu'une malle longeant les flancs du bord extérieur me protège comme

: par une bande de pirates.

dans un réduit. Et j'attends, tendant l'oreille... De la salle à manger me parviennent des bruits de menaces, des pleurs, des cris, des hoquettements de frayeur. Que se passe-t-il réellement ? J'interroge à voix basse les occupants de la cabine, un prince russe et un officier géorgien qui viennent d'arriver ; mais ils me font signe de me taire et de ne point bouger. Je reste donc immobile, dans une situation qui certes n'a rien d'héroïque, mais sur laquelle je compte pour dépister nos bolcheviks. Trois quarts d'heure se passent de la sorte, dans le va-et-vient agité de mes deux compagnons de voyage, lorsque soudainement deux bandits pénètrent dans la cabine et commencent les perquisitions. Je puis apercevoir quelques-uns de leurs gestes ; sous la menace des revolvers braqués, les deux passagers sont fouillés, leurs portefeuilles vidés, les poches retournées. Puis maintenant c'est le tour des bagages : vont-ils tirer la malle qui me protège ? C'est fait ; une brusque lumière éclaire ma cachette oú je me tapis contre la paroi, tentant de me réduire à ma plus simple expression, de jouer à l'homme-caoutchouc. Vais-je éternuer ? Remuant lentement une main jusqu'à mon visage, je me pince le nez !... Pendant ce temps la malle est fouillée ; le linge répandu par terre s'amoncelle contre la couchette? me créant un nouveau rempart... Suis-je sauvé ? Non. Brusquement un nouveau flot de

L'opérateur radio, M. Sahuc, au hublot de sa cabine, brisé à coups de revolver.

lumière m'inonde ; le matelas même de la couchette, saisi par la main d'un des brigands, vient d'être soulevé... J'ai le nez à la hauteur du treillis mince et serré et je vois pendant l'éclair d'une seconde la tête méchante de mon homme... qui me regarde. Me voit-il ? Il me voit ! Il me voit !... Mon Dieu !... Non, il ne m'a pas vu ! Le matelas est retombé.

L'état d'esprit dans lequel me jettent ces rapides alternances d'espoir et de crainte n'a rien d'agréable ; car Ulysse lui-même tapi sous son bélier, n'eut pas dans l'antre de Polyphème, en un laps de temps aussi court, autant d'émotions diverses et successives. Toutefois, je me crois sauvé par le départ des brigands ; d'autant plus que quelques instants après les machines s'arrêtent de fonctionner. Je pense que, la rafle faite, nos agresseurs s'échappent maintenant en canot sur la mer ; néanmoins, je crois prudent d'attendre que la joie des passagers et le brouhaha général trahissent plus évidemment la fin de l'aventure et, prenant sous la couchette une position plus confortable, étendant mes membres fatigués et menacés de crampes, je me félicite du bon tour que je viens de jouer à ces messieurs. Et je suis à tel point sûr, à cet instant, de la disparition de tout danger, que je reprends la liasse de billets glissés dès le début sous les tuyaux longeant le plancher de la cabine et les place de nouveau dans les poches de mon veston. Et j'attends ! Une heure. Deux heures. Et, pendant tout ce temps, le *Souirah* tantôt s'arrête, tantôt reprend sa marche. Je sus plus tard que, depuis la passerelle, le chef des brigands, tendant l'oreille, s'efforçait de surprendre dans le calme de la nuit le bruit du moteur d'une « pétrolette » qui devait venir le reprendre avec sa bande. Ces manœuvres, dont je ne pouvais comprendre le sens, me plongèrent bientôt dans une nouvelle et profonde perplexité. Que se passe-t-il à bord ? Les occupants de la cabine, après avoir été dévalisés, n'ont pas reparu. Personne pour me renseigner. Dirige-t-on le *Souirah* du côté de Novorossisk ou d'Odessa ? Allons-nous nous trouver demain en plein centre bolcheviste ? Ou bien les forbans préparent-ils ce crime effroyable de nous couler à coups de bombes, en pleine mer ?

J'en suis là dans mes réflexions lorsque subitement un bruit de pas s'approchant du couloir me donne de nouveau l'alerte. La malle que je n'ai pas eu l'idée de replacer dans son ancienne position ne me protège plus comme la première fois ; d'autre part, mon champ de vue s'est agrandi et j'aperçois bientôt trois paires de bottes caucasiennes, puis autant de mains qui reprennent la fouille avec plus d'activité que jamais. J'en vois une soulever le tapis, l'autre se faufiler sous les draps d'une couchette, une troisième plonger dans la malle laissée ouverte depuis la première perquisition ; je vois les longs mausers qu'ils ne quittent point. Pendant ce temps, je puis reprendre ma position de repli, sur le côté, contre la paroi, et là, tout raidi, crispé en une tension nerveuse presque cataleptique, je continue à observer bottes, mains, revolvers qui passent et repassent le long de la couchette, à quelque cinquante centimètres de ma tête. Encore une fois, une main soulève le matelas qui me protège et cette fois encore je suis sauvé par l'épaisseur du treillis. Je n'ai pas le temps cependant de remercier la Providence, car brusquement, près de ma couchette, un bras et un genou se posent à terre, tandis qu'une main, une grosse main tendue, commence à explorer mon réduit. Une... deux... trois secondes... elle bat le vide... puis m'empoigne la jambe. Un grognement de joie de la part de mon homme souligne le succès du geste ; je suis pris ; je n'ai plus qu'à me rendre. Je sors en rampant presque, la tête la première, tandis que le canon froid d'un mauser est appliqué sur ma nuque. S'il y a quelque honte à faire « camarade », il est certain que ce sentiment ne m'effleura nullement quand, quelques secondes plus tard, je fus debout, dans la position classique, les bras en l'air, sous la menace de trois revolvers. Les mains sales d'un brigand vêtu à la caucasienne d'un long manteau brun et dont le visage est recouvert d'un passe-montagne, ne lui laissant voir que les yeux, plongent dans mes poches et mes billets, subtilisés en un clin d'œil, s'en vont gonfler encore sa houppelande déjà distendue. L'importance relative de la somme que j'ai sur moi me vaut en outre, de la part de l'un des deux autres larrons, la plus grande injure qui soit sur les lèvres bolchevistes : un *borjoi*(bourgeois), lancé d'une voix rauque et méchante. Que m'importe ! Je suis sain et sauf et quelques instants après je me trouve dans le grand salon, mêlé aux autres passagers, dont quelques-uns atterrés, ont perdu leur fortune entière. Puis bientôt, emportant leur butin, nos pirates se font conduire à terre, sur les côtes du Lazistan, dans une petite anse paisible et mystérieuse, entourée de rochers. Et le *Souirah* reprend sa marche, tandis que dans une agape commune, réunis avec l'équipage, nous nous serrons les mains, nous félicitant les uns les autres d'être sortis miraculeusement indemnes de cette aventure.

Le commandant Mattei, du *Souirah*, recueillant les déclarations des passagers.

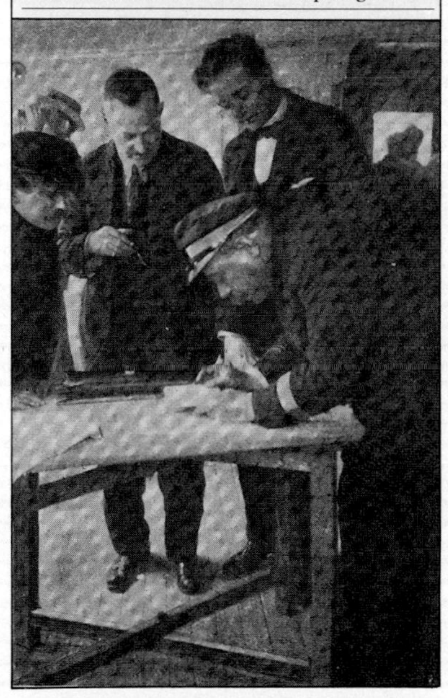

P. Gentizon,
l'Illustration
12 juin 1920

Les pirates de la plume

Les succès de la piraterie américaine au XVIIe siècle, atteignent même l'édition. L'expansion européenne a suscité un goût pour l'exotisme qui se manifeste dans la vogue des récits de voyage mais aussi dans les histoires picaresques, les aventures de gueux et de pirates. Au XIXe siècle, le romantisme transfigure les hommes du pavillon noir. Le siècle se rêve en pirate, sous le règne de la liberté totale, de la passion, et d'une vie plus intense.

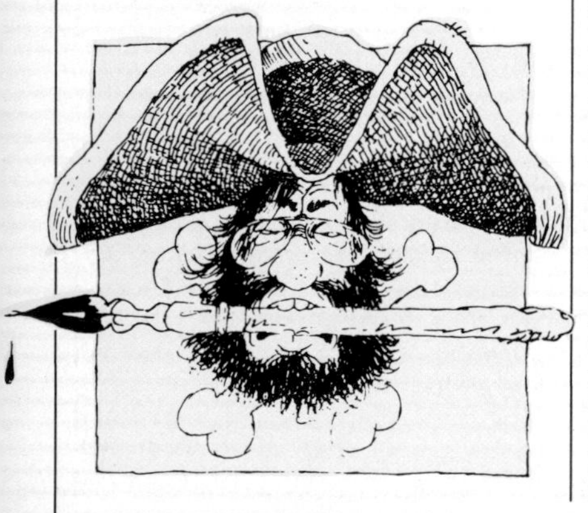

Un pirate au siècle des Lumières

Enlevé par les Iroquois, ballotté de pirates en soldats, le Chevalier de Beauchêne, dont René Louis Lesage nous dresse un portrait picaresque, est un aventurier sympathique que l'injustice a poussé dans le mauvais camp.

En croisant sur les côtes des Caraques, nous rencontrâmes un vaisseau de vingt-quatre pièces, que nous regardâmes d'abord comme un bien à nous appartenant, attendu qu'il ne pouvait nous échapper par le calme qui régnait alors sur la mer. Nous le joignîmes bientôt à force de rames ; et l'ayant accroché, nous l'obligeâmes d'amener en moins d'un quart d'heure, sans avoir perdu que six des nôtres, du nombre desquels fut l'amoureux *Tout-en-muscles*, par sa faute. A l'abordage, il sauta avec nous sur le pont du navire anglais ; sa maîtresse, emportée par la presse, se trouva comme forcée d'en faire autant ; et, n'étant pas accoutumée à cette sorte d'escalade, elle tomba dans la mer. L'amant, la voyant qui se noyait, s'empressa d'aller à son secours ; mais un des nôtres, l'arrêtant, le menaça de lui casser la tête s'il se retirait. Le Rochelais, entraîné par l'excès de son amour, méprisa la menace, et reçut à l'instant un coup de fusil dans la tête. Ainsi périt ce malheureux, pour s'être abandonné à une passion qui convient encore moins à un flibustier qu'à un autre homme.

Nous fûmes très contents de notre entreprise. Je mis sur le navire anglais une vingtaine des miens, et dans mon fond de cale la plupart des prisonniers. Nous conduisions notre capture comme en triomphe, quand nous découvrîmes un autre vaisseau qui, profitant d'un petit vent qui venait de se lever, faisait force de voiles pour

venir à nous. Nos prisonniers nous avaient dit qu'ils faisaient route avec un autre navire de trente-six pièces de canon, dont ils n'avaient été séparés que depuis deux jours par le gros temps. Je ne doutai point que ce bâtiment ne fût celui dont ils nous avaient parlé ; et, ce qui s'accordait fort avec ma conjecture, c'est qu'il me semblait que ce vaisseau cherchait à rejoindre l'autre. Je fis donc amener toutes mes voiles, parce que notre figure, qui était particulière, nous aurait trop tôt fait reconnaître. J'arborai aussi pavillon anglais ; et de peur que nos prisonniers ne se révoltassent pendant le combat, nous les mîmes tous aux fers. Outre cela, je faisais route vers la Jamaïque très doucement ; et les Anglais, trompés encore par l'habillement des leurs qu'ils apercevaient sur le vaisseau que nous avions pris, vinrent jusqu'à la portée du canon sans reconnaître leur erreur.

Alors, faisant hisser toutes nos voiles à la fois, et mettant pavillon de France sur nos deux vaisseaux, nous allâmes si brusquement au leur que nous l'accrochâmes, et montâmes à l'abordage avant qu'ils connussent bien à quelles gens ils avaient affaire. En récompense, sitôt qu'ils le surent, ils firent des efforts incroyables pour nous repousser. Ils étaient forts d'équipage ; par conséquent, ils nous tuèrent bien du monde. Ils nous auraient même fait déborder peut-être malgré tout notre courage, si nos camarades, qui étaient sur le bâtiment pris, n'eussent aussi jeté leurs grappins, et sauté sur le gaillard, après avoir lâché deux ou trois bordées de canon. Les Anglais, attaqués de l'un et de l'autre côté, ne tinrent plus guère, et furent obligés d'amener, quoiqu'ils fussent encore pour le moins trois contre un.

Nous ne laissâmes pas d'avoir dans cette occasion vingt-huit personnes de tuées ou blessées. Lorsque nous arrivâmes à Saint-Domingue, nous allâmes rendre compte de notre campagne au gouverneur, qui fut extrêmement surpris d'apprendre ce que nous avions fait. Il ne pouvait concevoir comment cinquante personnes avaient été capables d'en enchaîner deux cents, et d'enlever avec huit pièces de canon deux vaisseaux, l'un de vingt-quatre, et l'autre de trente-six. Pour le profit qui nous revint de ces deux prises, il était si considérable, qu'indépendamment de ce qui avait été de nature à être partagé manuellement entre nous, comme cela se pratique, je me souviens que l'amirauté, pour ses droits sur le reste, tira près de cinquante mille écus.

On va croire sans doute qu'après avoir fait deux si beaux coups de filet, cinquante flibustiers vont devenir cinquante bons bourgeois qui vivront heureux et tranquilles. Pardonnez-moi : ce ne sont pas là leurs maximes. Nous passâmes six ou sept mois à faire dans Saint-Domingue ce que feraient cinquante mousquetaires parmi la bourgeoisie d'une ville rendue à discrétion. Jeux, bals, cadeaux, querelles, tapages, nous n'avions pas d'autres occupations. Quand un Espagnol trouvait mauvais que nous donnassions une sérénade à sa femme, et qu'il n'avait pas l'honnêteté de nous ouvrir sa porte, nous montions chez lui par les fenêtres. Il y avait tous les jours quelque père ou quelque mari qui portait ses plaintes au gouverneur. D'un autre côté ceux qui n'avaient ni femmes, ni filles jolies, et qui trouvaient leur compte dans nos dissipations, s'intéressaient et parlaient pour nous. Ils se souciaient peu que nous fissions des ravages pendant la nuit, pourvu que le jour ils nous vendissent une piastre ce qui ne valait pas un escalin.

La licence pourtant fut poussée si loin que le gouverneur, après nous avoir inutilement priés d'être plus raisonnables, se vit obligé de nous défendre de porter des armes dans la ville ; encore eut-il besoin, pour en venir là, qu'un flibustier fit une insulte à un officier de sa maison, lequel avait le nez d'une longueur excessive. « Ton nez me choque, lui dit le flibustier en le rencontrant ; je veux à coups de sabre en ôter ce qu'il y a de trop : allons, mon ami, l'épée à la main. » L'officier, qui était Espagnol, défendit son nez en brave homme ; mais, ne voulant pas être réduit à le conserver de cette façon, il s'en plaignit à son maître, qui fit publier une ordonnance par laquelle il était enjoint aux flibustiers de ne porter aucunes armes dans Saint-Domingue.

Nous obéîmes, et nous parûmes plusieurs fois en vrais courtauds de boutiques devant le gouverneur, qui nous remercia d'abord du respect que nous avions pour ses ordres ; mais quand il apprit que nous faisions porter nos épées par nos valets, comme avaient fait en pareil cas à La Rochelle les Canadiens de l'équipage de M. d'Iberville, il fut irrité contre nous. Il ordonna de nouveau qu'aucun flibustier ne porterait des armes dans la ville ; il ajouta que, si quelqu'un en faisait porter, il en serait puni par six mois entiers de prison ; de sorte qu'il nous mit hors d'état de nous battre dans la ville autrement qu'à coups de poings.

A. R. Lesage,
Aventures du chevalier de Beauchêne

Le trésor de Stevenson

Robert Louis Stevenson donne à la piraterie ses lettres de noblesse. Non seulement il crée les attributs obligés du parfait pirate, de la jambe de bois au perroquet, mais il nimbe le personnage de mystère, de symbolisme, de rêve. Ses héros passent en permanence de la frayeur au merveilleux. On soulève le couvercle d'un coffre, et que trouve-t-on ? « Plusieurs rouleaux de tabac, deux paires de très beaux pistolets, un morceau d'argent en barre, une vieille montre espagnole, un compas de cuivre, et cinq ou six curieux coquillages des Indes occidentales ». C'est l'île au Trésor.

J'en viens à parler de notre maître coq, Tournebroche, comme l'appelaient ses camarades.

A bord, il portait sa béquille pendue autour du cou par un bout de ride pour avoir les deux mains libres. C'était quelque chose de le voir caler le pied de cette béquille contre une cloison, et, appuyé sur elle, cédant aux mouvements du bateau, cuisiner comme s'il avait été sur la terre ferme. Mais il offrait un spectacle encore plus étrange quand il traversait le pont par gros temps. Pour l'aider à franchir les endroits les plus larges, on avait installé deux ou trois bouts de ligne, que les hommes appelaient les boucles d'oreilles de Long John. Et il passait d'un lieu à l'autre, tantôt se servant de sa béquille, tantôt la traînant par la ride, aussi vite qu'un homme pourvu de ses deux jambes. Pourtant, ceux qui avaient navigué avec lui auparavant s'apitoyaient de le voir réduit à cela.

« C'est pas un homme ordinaire, ce Tournebroche, me disait le patron de canot. Il a eu pas mal d'instruction du temps de sa jeunesse ; il peut parler comme un livre quand ça lui chante. Et courageux, avec ça ! un lion n'existe pas, comparé à Long John. Je l'ai vu, les mains nues, empoigner quatre hommes et leur fracasser la tête en les cognant les uns contre les autres. »

Tout l'équipage le respectait et même lui obéissait. Il avait une manière à lui de parler aux hommes, de rendre à chacun d'eux un service personnel. Il manifestait à mon égard une bienveillance inlassable et semblait toujours heureux de me recevoir dans sa cuisine qu'il tenait toujours aussi propre qu'un sou neuf, avec ses plats bien fourbis accrochés au mur et son perroquet en cage dans un coin.

« Entre, Hawkins, me disait-il. Entre et viens tailler une bavette avec le vieux John. Ça me fait rudement plaisir de te voir, mon fils. Assieds-toi et écoute les nouvelles. Y a le capitaine Flint (c'est comme ça que j'appelle mon perroquet en souvenir du fameux boucanier), y a le capitaine Flint qui nous prédit un heureux voyage ; pas vrai, capitaine ? »

Et l'oiseau se mettait à répéter : « Pièces de huit ! pièces de huit ! pièces de huit ! » avec tant de rapidité que je m'émerveillais qu'il n'en perdît pas le souffle, jusqu'au moment où John lançait son mouchoir sur la cage.

« Tu vois, Hawkins, poursuivait le maître coq, cet oiseau-là, peut-être bien qu'il a deux cents ans. Y en a qui vivent éternellement, pour ainsi dire ; mais seul le diable a vu plus d'atrocités que celui-là. Il a navigué avec le grand capitaine England, le pirate. Il a été à Madagascar, à Malabar, à Surinam, à Providence, à Portobello. Il a assisté au repêchage des galions naufragés. C'est là qu'il a appris à dire "Pièces de huit", et ça n'a rien d'étonnant : trois cent cinquante mille qu'y en avait, Hawkins. Il a assisté à l'abordage du *Vice-Roi des Indes* au large de Goa. A le voir comme ça, on croirait que c'est un enfant ; mais tu as senti la poudre, pas vrai, capitaine ?

– Attention ! pare à virer ! criait l'oiseau.

– Ah ! c'est un fameux marin, pour ça, oui, déclarait le cuisinier.

Là-dessus, il tirait un morceau de sucre de sa poche pour le lui donner, et alors le perroquet becquetait les barreaux de sa cage en proférant des jurons abominables.

« Vois-tu, mon gars, ajoutait le cuisinier, on peut pas toucher de la poix sans se salir. Ce pauvre oiseau, qu'est tout à fait innocent, jure comme un possédé sans savoir ce qu'il dit, je t'en fiche mon billet. Il ferait pareil devant un pasteur. »

Sur ces mots, John portait sa main à son front d'un air grave qui me faisait penser que c'était le meilleur des hommes. [...]

Après avoir franchi la zone des alizés pour trouver le vent qui nous mènerait vers notre île (je ne suis pas autorisé à être plus précis), nous filions maintenant à belle allure dans sa direction, et un homme de vigie guettait nuit et jour. Même en comptant largement, nous étions au dernier jour de notre voyage. Pendant la nuit, ou, au plus tard, le lendemain matin, nous serions en vue de l'île au Trésor. Nous avions le cap S.-S.-O., une bonne brise par le travers, et une mer calme. L'*Hispaniola* roulait régulièrement et plongeait parfois dans les flots son beaupré qui soulevait une gerbe d'embruns. Toutes les voiles portaient, les plus basses comme les plus hautes ; nous étions tous pleins d'entrain car nous arrivions au terme de la première partie de notre aventure.

Or, juste après le coucher du soleil, alors que, mon travail terminé, je me dirigeais vers ma couchette, il me prit fantaisie de manger une pomme. Je montai en courant sur le pont. Les matelots de quart étaient tous à l'avant, guettant l'apparition de l'île. L'homme à la barre observait les ralingues du côté du vent en sifflant doucement : on n'entendait aucun autre bruit, sauf le chuintement des flots contre l'étrave et les flancs du navire.

Après être entré tout entier dans le tonneau, je m'aperçus qu'il n'y avait presque plus de pommes. Je m'assis tout au fond, et là, sous l'effet de la rumeur de la mer et du bercement du navire, ou bien je m'étais endormi ou bien j'allais céder au sommeil lorsqu'un homme s'affala bruyamment tout près de moi. Le tonneau fut ébranlé au moment où il y appuya ses épaules. Je me préparais à me lever d'un bond quand l'homme se mit à parler. Je reconnus aussitôt la voix de Silver, et, dès que j'eus entendu une douzaine de mots, je perdis toute envie de me montrer. Je restai là, tremblant, l'oreille au guet, au paroxysme de la peur et de la curiosité, car ces douze mots avaient suffi à me faire comprendre que la vie de tous les honnêtes gens du bord dépendait de moi seul.

« Non, pas moi, disait Silver. C'est Flint qu'était capitaine ; moi j'étais que quartier-maître, rapport à ma jambe de bois. La même bordée qui m'a enlevé ma jambe a fait perdre ses hublots au vieux Pew. C'était un maître chirurgien çui-là qui m'a amputé..., sorti du collège et tout..., du latin plein la bouche, et je sais plus quoi encore... N'empêche qu'on l'a pendu comme un chien, et qu'il a séché au soleil comme les autres, à Corso Castle. Ça, c'étaient les hommes à Roberts ; et ça leur est arrivé parce qu'ils avaient changé les noms de leurs bateaux : le *Royal Fortune*, et les autres. Pour moi, quand un bateau a été baptisé, faut lui garder son nom, voilà ce que je dis. Ç'a été pareil pour le *Cassandre* qui nous avait tous ramenés sains et saufs de Malabar, après qu'England a eu mis le grappin sur le *Vice-Roi des Indes* ; ç'a été pareil pour le *Walrus*, le vieux bateau de Flint, que j'ai vu tout ruisselant de sang et prêt à couler sous le poids de l'or.

– Ah ! s'écria une autre voix, celle du plus jeune marin du bord, manifestement plein d'admiration, c'était la fine fleur de la bande, ce Flint !

– Davis aussi était un fier luron, d'après tout ce qu'on en raconte, répliqua Silver. Mais j'ai jamais navigué avec lui. D'abord England, ensuite Flint : voilà toute mon histoire ; et maintenant, je suis comme qui dirait à mon compte. Avec England, j'ai mis

neuf cents livres de côté, et deux mille avec Flint. C'est pas mal pour un simple matelot. Et tout ça bien à l'abri dans une banque. Ce qu'y a de difficile, c'est pas de gagner de l'argent, mais c'est de le mettre de côté, je vous en fiche mon billet. Où sont les hommes d'England, au jour d'aujourd'hui ? Je sais pas. Et ceux de Flint ? Ma foi, y en a pas mal ici à bord ; et bien heureux d'avoir de quoi manger, car plusieurs étaient obligés de mendier, avant ça. Le vieux Pew, qu'avait perdu la vue et qu'aurait dû donner le bon exemple, il a dépensé douze cents livres en une seule année, comme un grand seigneur. Et où il est maintenant ? Eh bien, il est mort, définitivement retiré de la circulation. Mais, pendant ces deux dernières années, mille sabords ! il a crevé de faim. Il a mendié, il a volé, il a assassiné ; et ça l'a pas empêché de crever de faim, mille tonnerres !

– Donc, tout compte fait, ça vaut pas le coup, dit le jeune marin.

– Ça vaut pas le coup pour les idiots, je t'en fiche mon billet... ça ou autre chose, s'écria Silver. Mais pour ce qui est de toi, tu as beau être jeune, tu es malin comme un singe. J'ai compris ça dès que je t'ai vu, et je vais te causer d'homme à homme. »

Vous pouvez imaginer les sentiments que j'éprouvais en entendant cet abominable coquin adresser à un autre les mêmes paroles flatteuses dont il s'était servi à mon égard. Si je l'avais pu, je crois que je l'aurais tué à travers le tonneau. Cependant, il continua son discours, sans se douter le moins du monde qu'on l'écoutait.

« Je vais te dire le vrai du vrai au sujet des gentilshommes de fortune. Ils ont la vie dure et ils risquent la corde ; mais ils mangent et boivent comme des coqs de combat, et, quand un voyage est fini, c'est des centaines de livres qu'ils empochent, et non pas des centaines de liards. Presque tous dépensent leur magot à boire du rhum et à tirer de bonnes bordées ; après ça, ils reprennent la mer sans rien que leur chemise sur le dos. Moi, c'est pas comme ça que je gouverne. Je mets tout de côté, un peu ici, un peu là, et jamais trop au même endroit, pour pas éveiller les soupçons. J'ai cinquante ans, l'oublie pas : au retour de ce voyage, je m'établis rentier pour de bon. Tu vas me dire ici qu'il est bien temps. Sans doute, mon gars ; mais jusqu'à présent, j'ai vécu à mon aise ; jamais je me suis rien refusé ; j'ai dormi dans la plume et mangé de bons morceaux, sauf quand j'étais en mer. Et comment que j'ai commencé ? Simple matelot, comme toi !

– Bon, dit l'autre, mais ton magot, il est fichu, maintenant. Tu oseras plus te montrer à Bristol après le coup qu'on doit faire.

– Et où tu crois qu'il est, mon magot ? demanda Silver d'un ton moqueur.

– Ma foi, à Bristol, dans des banques et ailleurs.

– Il y était quand on a levé l'ancre. Mais, à cette heure, ma bourgeoise a tout ramassé. La « Longue-Vue » est vendue, bail, clientèle et meubles ; et ma vieille est en route pour me rejoindre. Je te dirais bien à quel endroit, parce que je te fais confiance ; mais les camarades seraient jaloux.

– Et tu te fies à ta bourgeoise ?

– Les gentilshommes de fortune se méfient généralement les uns des autres, et ils ont bougrement raison, je t'en fiche mon billet. Mais moi, j'ai mon système. Quand un gars me faussera compagnie (un gars qui me connaît, bien sûr), ça sera pas dans le même monde que Long John. Y en avait qui avaient peur de Pew, et y en avait d'autres qui avaient peur de Flint ; mais Flint lui-même avait peur de moi, tout fier qu'il était. Ah, mon fils, des gars comme ceux de Flint, y avait pas plus terrible sur mer ; le diable lui-même aurait pas osé s'embarquer avec eux. Eh bien, crois moi, j'ai pas l'habitude de me vanter, et tu vois toi-même comme je suis sociable ; mais quand j'étais quartier-maître, les vieux boucaniers de Flint filaient doux devant moi. Crois-moi, tu peux être tranquille sur le bateau de Long John.

– Ma foi, pour te dire vrai, j'aimais pas du tout cette affaire, John ; mais à présent que j'ai causé avec toi, j'en suis : tope-là !

– Tu es un brave, et, par-dessus le marché, tu es un malin, répondit Silver en lui secouant la main avec tant de vigueur que le tonneau en trembla. J'ai jamais vu quelqu'un qui ait une plus belle tête de gentilhomme de fortune. »

Je commençais maintenant à comprendre le sens de leur vocabulaire. Pour eux, un « gentilhomme de fortune », c'était tout simplement un pirate, et la petite scène que j'avais surprise venait d'achever de corrompre un honnête matelot, peut-être le dernier qui fût à bord. Mais je ne tardai pas à être rassuré sur ce point, car Silver ayant donné un léger coup de sifflet, un troisième homme arriva à pas lents et vint s'asseoir à côté des deux autres.

« Dick marche avec nous, déclara Silver.

– Ça, j'en étais sûr, répondit la voix du patron de canot, Israël Hands. Il est pas idiot, Dick. »

Il roula sa chique dans sa bouche, cracha, puis poursuivit :

« Mais, dis donc, Tournebroche, y a une chose que j'voudrais savoir : combien de temps qu'on va louvoyer, comme un foutu canot à provisions ? J'en ai jusque-là du capitaine Smollett. Mille tonnerres ! y a assez longtemps qu'y me crève de travail ! J'veux entrer dans c'te cabine, moi. J'veux tâter de leurs conserves, de leurs vins, et de tout le reste.

– Israël, tu as jamais eu beaucoup de jugeote. Mais je pense que tu es capable d'entendre : en tout cas, tes oreilles sont assez grandes pour ça. Et voilà ce que j'ai à te dire : tu vas continuer à coucher à l'avant, à trimer dur, à parler doux et à rester sobre, jusqu'à tant que je donne l'ordre de passer à l'action, je t'en fiche mon billet, mon gars.

– Ben, j'dis pas non, grommela l'autre. Tout ce que j'veux savoir, c'est quand ça va se passer. Un point, c'est tout.

– Quand ? Mille tonnerres ! Si tu tiens à le savoir, je vais te le dire tout de suite : le plus tard possible, mon gars ! Réfléchis un peu. Y a un marin de première, le capitaine Smollett, qui gouverne pour nous ce foutu bateau. Y a ce châtelain et ce docteur qui ont une carte et tout le fourbi. Je sais pas où elle est, pas vrai ? Et toi non plus, que tu me dis. Alors, mille tonnerres ! je veux que ce châtelain et ce docteur trouvent le magot et nous aident à le transporter à bord. Après ça, on verra. Si j'étais sûr de vous tous, bande de lourdauds, j'attendrais que le capitaine Smollett nous ait ramenés à moitié chemin avant de frapper. »

Robert Louis Stevenson,
l'Ile au trésor

Faire feu de tout bois

Malheur au lecteur qui navigue à la portée des canons du brick de Kernok le pirate... car il apprendra à ses dépens que le rire naît de la démesure, et ne résistera pas à l'humour noir d'Eugène Sue.

« Eh bien ! des boulets, ou nous sommes coulés comme des chiens ! cria Kernok à maître Durand aussitôt que celui-ci parut sur le pont.

– Pas un, dit le docteur en grinçant des dents.

– Que mille millions de tonnerres enlèvent le brick ! et rien, rien pour recevoir l'Anglais qui va nous aborder ! Tiens, sacrebleu ! regarde... »

Et ce disant, Kernok poussa Durand contre le bastingage, qui tombait en morceaux. En effet, quoique la corvette fût horriblement avariée, elle venait vent arrière sur le brick sous un lambeau de sa misaine, tandis que *l'Épervier*, qui avait perdu toutes ses voiles et ne gouvernait plus qu'au moyen de son foc et de sa brigantine, ne pouvait éviter l'abordage que l'Anglais voulait tenter, étant bien supérieur en nombre.

« Pas un boulet ! pas un boulet ! Saint Nicolas ! sainte Barbe, et tous les saints du calendrier, si vous ne venez pas à mon aide, cria Kernok dans un état d'effroyable exaspération, je jure d'aller chamberner et bouleverser vos niches, comme je brise ce compas ! Et que le tonnerre m'écrase s'il reste pierre sur pierre d'une seule de vos chapelles sur la côte de Pempoul ! ! ! »

Et le pirate, écumant sa colère, avait mis en pièces une des boussoles qui se trouvaient près de lui.

Il paraîtrait que tous les saints que Kernok implorait si brutalement voulurent se conduire en gens canonisés. Des hommes auraient puni le téméraire, des demi-dieux vinrent à son secours, montrant par là combien leur essence éthérée était supérieure à nos intelligences étroites et rancunières.

Aussi, à peine Kernok eut-il terminé sa singulière et effrayante invocation, que, frappé d'une idée subite, d'une idée d'en haut peut-être, il s'écria en rugissant de joie :

« Les piastres !... cordieu, mes garçons, les piastres !... chargeons-en nos pièces jusqu'à la gueule ; cette mitraille-là vaut bien l'autre. L'Anglaise veut de la monnaie, elle en aura, et de la toute chaude, qui, en sortant de nos canons, ressemblera plutôt à des lingots de bronze qu'à de bonnes gourdes d'Espagne. Les piastres sur le pont !... les piastres ! »

Cette idée électrisa l'équipage. Maître Durand se précipita dans la soute, et l'on roula sur le pont trois barils d'argent, cent cinquante mille livres environ.

« Hourra ! Mort aux Anglais ! » crièrent les dix-neuf pirates qui restaient en état de combattre, noirs de poudre et de fumée, et nus jusqu'à la ceinture pour manœuvrer plus à l'aise.

Et une sorte de joie féroce et délirante les exalta.

Les chiens d'Anglais ne chanteront pas que nous sommes avares, dit l'un ; car cette mitraille-là va bien payer le chirurgien qui les pansera.

– On voit que nous nous battons avec une dame. Sacrebleu ! quelle galanterie ! des boulets d'argent !... On soigne la corvette, dit un autre.

– Je ne demanderais qu'une gargousse comme ça de haute paye, pour m'amuser à Saint-Pol, reprit un troisième.

Et de fait, on jetait l'argent à poignée dans les caronades, on les en gorgeait. Cinquante mille écus y passèrent.

A peine toutes les pièces étaient-elles chargées que la corvette se trouvait près du brick, manœuvrant de manière à engager son beaupré dans les haubans de *l'Épervier ;* mais Kernok, par un mouvement habile, passa au vent de l'Anglais, et une fois là, se laissa dériver sur lui.

A deux portées de pistolet, la corvette lâcha sa dernière bordée ; car elle aussi avait épuisé ses munitions ; elle aussi s'est battue bravement et avait fait des prodiges de courage, depuis deux heures que durait ce combat acharné. Malheureusement la houle empêcha les Anglais de pointer juste, et toute leur volée passa au-dessus du corsaire, sans lui faire aucun mal.

Un matelot du brick fit feu avant l'ordre. « Chien d'étourdi ! s'écria Kernok ; et le pirate roula à ses pieds, abattu d'un coup de hache.

– Et surtout, s'écria-t-il, ne faites feu que lorsque nous serons bord à bord ; qu'au moment où les Anglais iront pour sauter sur notre pont, nos canons leur crachent au visage, et vous verrez que cela les vexera, soyez-en sûrs ! »

A cet instant même, les deux navires s'abordèrent. Ce qui restait de l'équipage anglais était dans les haubans et les bastingages, la hache au poing, le poignard aux dents prêts à s'élancer d'un bond sur le pont du brick.

Un grand silence à bord de *l'Épervier*...

« Away ! goddam, away ! lascars, cria le capitaine anglais, beau jeune homme de vingt-cinq ans, qui, ayant eu les deux jambes emportées, s'était fait mettre dans un baril de son pour arrêter l'hémorragie et pouvoir commander jusqu'au dernier moment.

– Away ! goddam ! répéta-t-il

– Feu, maintenant, feu sur l'Anglais ! hurla Kernok.»

Alors tous les Anglais s'élancèrent sur le brick. Les douze caronades de tribord leur vomirent à la face une grêle de piastres, avec un fracas épouvantable.

« Hourra !... » cria l'équipage tout d'une voix.

Quand l'épaisse fumée se fut dissipée, et qu'on put juger de l'effet de cette bordée, on ne vit plus aucun Anglais, aucun... Tous étaient tombés à la mer ou sur le pont de la corvette, tous étaient morts ou affreusement mutilés. Aux cris du combat avait succédé un silence morne et imposant ; et les dix-huit hommes qui survivaient, seuls, isolés au milieu de l'Océan, entourés de cadavres, ne se regardaient pas sans un certain effroi !

Kernok lui-même fixait les yeux avec stupeur sur le tronc informe du capitaine anglais ; car la mitraille d'argent lui avait encore emporté un bras. Ses beaux cheveux blonds étaient souillés de sang ; pourtant le sourire lui restait sur les lèvres... C'est qu'il était mort sans doute en pensant à elle, à elle, qui, baignée de larmes, allait revêtir de longs habits de deuil, en apprenant sa fin glorieuse. Heureux jeune homme ! Il avait peut-être aussi sa vieille mère pour le pleurer, lui qu'elle avait bercé tout petit enfant. C'était peut-être un avenir brillant qui avortait, un nom illustre qui s'éteignait en lui. Quels regrets il devait laisser ! Combien on devait le plaindre ! Heureux ! trois fois heureux jeune homme ! que ne devait-il pas à la couleuvrine de Kernok ! d'un boulet elle en avait fait un héros pleuré dans les trois royaumes. Quelle belle invention que la poudre à canon !

Tel devait être à peu près le résumé des réflexions de Kernok ; car il resta calme et riant à la vue de cet horrible spectacle.

Ses matelots, au contraire, s'étaient longtemps regardés avec une espèce d'étonnement stupide. Mais, ce premier mouvement passé, le naturel insouciant et brutal reprenant le dessus, tous, d'un mouvement spontané, crièrent : « Hourra ! Vive *l'Épervier* et le capitaine Kernok !

– Hourra ! mes garçons ! reprit celui-ci. Et bien ! vous le voyez, *l'Épervier* a le bec dur ; mais il faut maintenant songer à réparer nos avaries. Suivant mon estime, nous devons être du côté des Açores. La brise fraîchit ; allons, enfants, nettoyons le pont. »

Eugène Sue,
Kernok le pirate

Le pirate de l'Archipel

Une histoire d'amour et de pirates avec, en toile de fond, la guerre d'indépendance grecque. Jules Verne ne pouvait éviter la figure du capitaine pirate, un des personnages emblématiques de l'Aventure.

« Sacratif ! Sacratif ! Sus au pirate Sacratif ! »

Et que les allants et venants parlassent anglais, italien ou grec, si la prononciation de ce nom exécré différait, les anathèmes dont on l'accablait n'en étaient pas moins l'expression du même sentiment d'horreur.

Nicolas Starkos écoutait toujours et ne disait rien. Du haut de la terrasse, ses yeux pouvaient aisément parcourir une grande partie du canal de Corfou, fermé comme un lac jusqu'aux montagnes d'Albanie, que le soleil couchant dorait à leur cime.

Puis, en se tournant du côté du port, le capitaine de la *Karysta* observa qu'il s'y faisait un mouvement très prononcé. De nombreuses embarcations se dirigeaient vers les navires de guerre. Des signaux s'échangeaient entre ces navires et le mât de pavillon dressé au sommet de la citadelle, dont les batteries et les casemates disparaissaient derrière un rideau d'aloès gigantesques.

Évidemment, — et, à tous ces symptômes, un marin ne pouvait s'y tromper, — un ou plusieurs navires se préparaient à quitter Corfou. Si cela était, la population corfiote, on doit le reconnaître, y prenait un intérêt vraiment extraordinaire.

Mais déjà le soleil avait disparu derrière les hauts sommets de l'île, et avec le crépuscule assez court sous cette latitude, la nuit ne devait pas tarder à se faire.

Nicolas Starkos jugea donc à propos de quitter la terrasse. Il redescendit sur l'esplanade, laissant en cet endroit la plupart des spectateurs qu'un sentiment de curiosité y retenait encore. Puis, il se dirigea d'un pas tranquille vers les arcades de cette suite de maisons, qui borne le côté ouest de la place d'Armes.

Là ne manquaient ni les cafés, pleins de lumières, ni les rangées de chaises disposées sur la chaussée, occupées déjà par de nombreux consommateurs. Et encore faut-il observer que ceux-ci causaient plus qu'ils ne « consommaient », si toutefois ce mot, par trop moderne, peut s'appliquer aux Corfiotes d'il y a cinquante ans.

Nicolas Starkos s'assit devant une petite table, avec l'intention bien arrêtée de ne pas perdre un seul mot des propos qui s'échangeaient aux tables voisines.

« En vérité, disait un armateur de la Strada Marina, il n'y a plus de sécurité pour le commerce, et on n'oserait pas hasarder une cargaison de prix dans les Échelles du Levant !

– Et bientôt, ajouta son interlocuteur, — un de ces gros Anglais qui semblent toujours assis sur un ballot, comme le président de leur chambre, — on ne trouvera plus d'équipage qui consente à servir à bord des navires de l'Archipel !

– Oh ! ce Sacratif !... ce Sacratif ! répétait-on avec une indignation véritable dans les divers groupes.

– Un nom bien fait pour écorcher le gosier, pensait le maître du café, et qui devrait pousser aux rafraîchissements !

– A quelle heure doit avoir lieu le départ de la *Syphanta* ? demanda le négociant.

– A huit heures, répondit le

Corfiote. — Mais, ajouta-t-il d'un ton qui ne marquait pas une confiance absolue, il ne suffit pas de partir, il faut arriver à destination !

– Eh ! on arrivera ! s'écria un autre Corfiote. Il ne sera pas dit qu'un pirate aura tenu en échec la marine britannique...

– Et la marine grecque, et la marine française, et la marine italienne ! ajouta flegmatiquement un officier anglais, qui voulait que chaque État eût sa part de désagrément en cette affaire.

– Mais, reprit le négociant en se levant, l'heure approche, et, si nous voulons assister au départ de la *Syphanta*, il serait peut-être temps de se rendre sur l'esplanade !

– Non ! répondit son interlocuteur, rien ne presse. D'ailleurs, un coup de canon doit annoncer l'appareillage. »

Et les causeurs continuèrent à faire leur partie dans le concert des malédictions proférées contre Sacratif.

Sans doute, Nicolas Starkos crut le moment favorable pour intervenir, et, sans que le moindre accent pût dénoncer en lui un natif de la Grèce méridionale :

« Messieurs, dit-il en s'adressant à ses voisins de tables, pourrais-je vous demander, s'il vous plaît, quelle est cette *Syphanta* dont tout le monde parle aujourd'hui ?

– C'est une corvette, monsieur, lui fut-il répondu, une corvette achetée, frétée et armée par une compagnie de négociants anglais, français et corfiotes, montée par un équipage de ces diverses nationalités, et qui doit appareiller sous les ordres du brave capitaine Stradena ! Peut-être parviendra-t-il à faire, lui, ce que n'ont pu faire les navires de guerre de l'Angleterre et de la France !

– Ah ! dit Nicolas Starkos, c'est une corvette qui part !... Et pour quels parages, s'il vous plaît ?

– Pour les parages où elle pourra rencontrer, prendre et pendre le fameux Sacratif !

– Je vous prierai alors, reprit Nicolas Starkos, de vouloir bien me dire qui est ce fameux Sacratif ?

– Vous demandez qui est ce Sacratif ? » s'écria le Corfiote stupéfait, auquel l'Anglais vint en aide, en accentuant sa réponse par un « aoh ! » de surprise.

Le fait est qu'un homme qui en était à ignorer encore ce qu'était Sacratif, et cela en pleine ville de Corfou, au moment même où ce nom était dans toutes les bouches, pouvait être regardé comme un phénomène.

Le capitaine de la *Karysta* s'aperçut aussitôt de l'effet que produisait son ignorance. Aussi se hâta-t-il d'ajouter :

« Je suis étranger, messieurs. J'arrive à l'instant de Zara, autant dire du fond de l'Adriatique, et je ne suis point au courant de ce qui se passe dans les îles Ioniennes.

– Dites alors ce qui se passe dans l'Archipel ! s'écria le Corfiote, car, en vérité, c'est bien l'Archipel tout entier que Sacratif a pris pour théâtre de ses pirateries !

– Ah ! fit Nicolas Starkos, il s'agit d'un pirate ?...

– D'un pirate, d'un forban, d'un écumeur de mer ! répliqua le gros Anglais. Oui ! Sacratif mérite tous ces noms, et même tous ceux qu'il faudrait inventer pour qualifier un pareil malfaiteur ! »

Là-dessus l'Anglais souffla un instant pour reprendre haleine. Puis :

« Ce qui m'étonne, monsieur, ajouta-t-il, c'est qu'il puisse se rencontrer un Européen qui ne sache pas ce qu'est Sacratif !

– Oh ! monsieur, répondit Nicolas Starkos, ce nom ne m'est pas absolument inconnu, croyez-le bien ; mais j'ignorais que ce fût lui qui mît aujourd'hui toute la ville en révolution. Est-ce que Corfou est menacée d'une descente de ce pirate ?

– Il n'oserait ! s'écria le négociant. Jamais il ne se hasarderait à mettre le pied dans notre île !

– Ah ! vraiment ! répondit le capitaine de la *Karysta*.

– Certes, monsieur, et, s'il le faisait, les potences ! oui ! les potences pousseraient d'elles-mêmes, dans tous les coins de l'île, pour le happer au passage !

– Mais alors, d'où vient cette émotion ? demanda Nicolas Starkos. Je suis arrivé depuis une heure à peine, et je ne puis comprendre l'émotion qui se produit...

– Le voici, monsieur, répondit l'Anglais. Deux bâtiments de commerce, le *Three Brothers* et le *Carnatic,* ont été pris, il y a un mois environ, par Sacratif, et tout ce qui a survécu des deux équipages a été vendu sur les marchés de la Tripolitaine !

– Oh ! répondit Nicolas Starkos, voilà une odieuse affaire, dont ce Sacratif pourrait bien avoir à se repentir !

– C'est alors, reprit le Corfiote, qu'un certain nombre de négociants se sont associés pour armer une corvette de guerre, une excellente marcheuse, montée par un équipage de choix et commandée par un intrépide marin, le capitaine Stradena, qui va donner la chasse à ce Sacratif ! Cette fois, il y a lieu d'espérer que le pirate, qui tient en échec tout le commerce de l'Archipel, n'échappera pas à son sort !

Jules Verne,
l'Archipel en feu

Le « Hollandais-Volant »

Pierre Mac Orlan a bourlingué sur bien des mers, rencontrant, ici et là, les fantômes de la piraterie. Dans les années vingt, il devient le spécialiste du roman d'aventure. Il puise alors abondamment dans les légendes et les récits colportés dans tous les ports.

Le capitaine Mathieu Miles nous rassembla tous sur le gaillard d'avant de la *Queen-Mary*.

— Gentilshommes de fortune ! Par le sang du Christ ! Aujourd'hui, nous commençons la grande course. Vous êtes ici sur le *Hollandais-Volant*, dont la réputation n'est plus à faire. Je parle pour les huit matelots qui viennent d'arriver. Qu'ils jurent ici sur la Bible de Rackham fidélité au Pavillon noir ! »

Nous jurâmes fidélité, l'un après l'autre.

Mathieu Miles poursuivit son discours : « Voici le quartier-maître Harry Bull, celui-ci aussi a navigué avec Rackham. Vous lui obéirez comme à moi. Vous connaissez la coutume pour les parts de prise. Elle sera honnêtement respectée. Il faut également réserver une part pour l'armateur : Monsieur Benic, que le Diable ait son âme et le reste. Celui qui désobéira sera pendu ou jeté au plein. A vos postes de manœuvre. Nous allons lever l'ancre. »

Un triple hurrah salua le discours du capitaine Miles. Nous étions de vrais forbans et cette éloquence expéditive nous allait droit au cœur.

La *Queen-Mary* était un fin voilier bien armé pour la course. Il possédait vingt pièces de huit dissimulées dans les cales. Chaque homme de l'équipage, qui se composait de cinquante matelots, d'un cuisinier, d'un charpentier, d'un quartier-maître et du capitaine, était armé d'un long coutelas espagnol, d'un mousquet de cavalerie de ligne et d'une paire de pistolets. Ces armes, à l'exception du coutelas, qui était la propriété de chaque matelot, appartenaient au capitaine et à l'oncle Benic. Elles étaient enfermées dans la Sainte-Barbe, solidement fermée. Le capitaine en portait toujours la clef sur lui.

Le cuisinier du navire s'appelait Bananas. C'était un nègre de la Jamaïque, un peu simple d'esprit. Il servait de bourreau à bord et c'est lui qui pendait les rebelles ou les traîtres. Enfin, pour en terminer avec le rôle de l'équipage, je dirai que mon ami Virmoutiers, qui avait fait tous les métiers, avait été promu chirurgien. Il habitait à l'arrière dans le poste du charpentier et du quartier-maître. Le capitaine avait sa cabine où il prenait ses repas. En ma qualité de mousse, je le servais à table. J'étais obligé également d'aider au nègre, ce qui me donnait du déplaisir. Mais à ce poste, je bénéficiais de quelques bons morceaux.

J'appris vite mon métier de matelot, car j'aimais à grimper dans les vergues. Il faut vous dire qu'après avoir laissé derrière nous les côtes britanniques, nous fîmes voile vers une île déserte de l'archipel breton, une des îles Glénan, je crois, non loin d'Ouessant. La mer était belle et bien que les havres fussent plutôt peu sûrs dans cet îlot, nous pûmes changer l'aspect de la *Queen-Mary*, sa peinture et son nom. Elle fut peinte en noir et blanc et baptisée à nouveau. Elle devint le *Hollandais-Volant*.

C'était une idée de l'oncle Benic. Il espérait que le *Vaisseau Fantôme* resurgi des enfers dans ces passages terrifiants, autour de l'île d'Ouessant, aiderait à la tâche des pirates qui était de piller les navires entre Bordeaux et l'Angleterre.

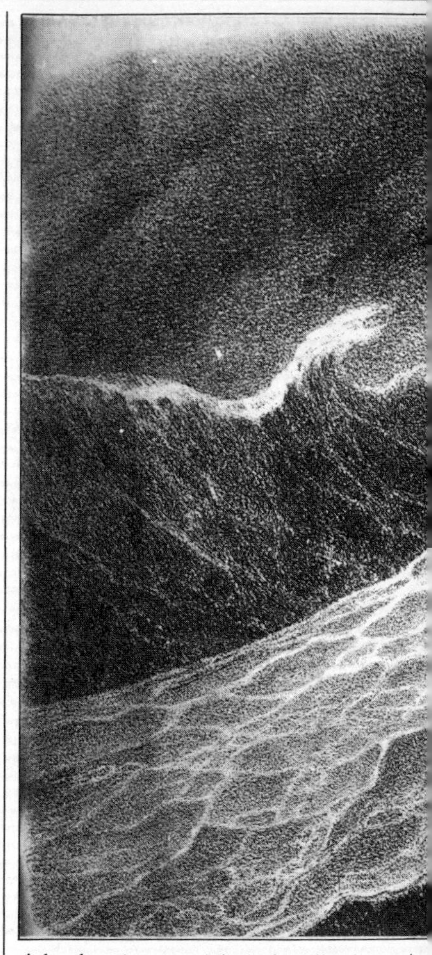

Nous partîmes de Quémenez au bout de trois mois, durant lesquels je sus retenir assez d'anglais pour me débrouiller à bord. Qui aurait pu reconnaître la *Queen-Mary* dans ce nouveau schooner armé jusqu'aux dents ? Car notre premier soin avait été

de remettre les pièces à leur place dans leur sabord. Le pavillon noir flottait à la corne. Nous étions bien les dignes mariniers de ce *Hollandais-Volant*, vaisseau légendaire, qui autrefois avait hanté mes rêves. Ce n'était qu'une duperie. Mais cela nous serrait le cœur à nous-mêmes, de naviguer sur un tel bâtiment.

— « Nous tentons la fortune pour la troisième fois, me dit Virmoutiers. Pour la troisième fois, nous faisons la course sous la protection du *Vaisseau Fantôme*. C'est peut-être une profanation. »

Il faut avoir navigué entre les îles, autour d'Ouessant, avoir dansé au bout d'une vergue dans le Fromveur pour savoir ce que vaut la mer, quand elle s'en mêle. Il y avait déjà trois semaines que nous promenions notre navire, sans feux dans le brouillard, au milieu d'un véritable labyrinthe de récifs, quand la vigie, au guet dans la gabie, signala une voile par notre bâbord.

Mathieu Miles siffla l'équipage au poste de combat. Virmoutiers, le cock, le bossman, se dirigèrent vers la Sainte-Barbe. Ils portaient à pleins bras des maillots et des masques qu'il jetèrent sur le pont.

— « Les morts, à vos postes de manœuvre ! » commanda Virmoutiers en ricanant.

A ma profonde stupéfaction, je vis les hommes du *Hollandais-Volant* se dévêtir. Puis ils passèrent une sorte de maillot noir où des bandes d'étoffe blanche dessinaient les os des bras, du thorax, du bassin et des jambes. Ils mirent sur leur visage un masque de cuir qui simulait en noir et blanc la face d'une tête de mort. Ainsi déguisés, ils ressemblaient à des squelettes harnachés en guerre, car ils avaient passé leurs baudriers et leurs ceinturons et tenaient au poing leur mousquet. Leur aspect était véritablement étrange et terrifiant.

Je fis comme eux. Et bientôt, je fus tel un mort effroyable accroché dans les haub: ns, le coutelas entre les dents et la grenade incendiaire à la main.

Quand tout le monde fut placé à son poste, les canonniers derrière leurs pièces, la mèche à la main, le navire était comme un arbre fantastique garni de squelettes accrochés dans ses vergues, dans ses haubans, et à l'avant, devant le détail de bout-dehors, qui représentait une tête de mort décharnée.

Virmoutiers, qui savait tout faire, monta un orgue sur le pont. Et il se mit à jouer la messe des trépassés. Les sons de l'instrument portaient loin sur la mer, à cette heure calme. Le crépuscule de la nuit commençait à effacer tous les détails à bord.

Le navire chassé, qui était un brick de commerce, nous aperçut et tenta de prendre de l'avance en virant de bord pour serrer le vent au plus près.

Toute la voilure blanche du *Hollandais-Volant* était déployée ; des torches jetaient de hautes flammes qui se tordaient au vent. Ainsi paré le *Hollandais-Volant* ressemblait à un immense catafalque.

Nous gagnâmes de vitesse l'infortuné marchand. En élongeant son bordage par bâbord, nous vîmes l'équipage qui s'était jeté à genoux et levait les bras au ciel. La musique lugubre de Virmoutiers fit le reste. Avant que les mariniers blêmes de frayeur eussent esquissé un simulacre de défense, nous bondîmes à l'abordage comme des diables, ou plutôt comme des morts à l'assaut des vivants. On ne tira pas un coup de canon. La prise était bonne. L'équipage fut jeté à la mer et je restai secoué d'horreur devant ce forfait perpétré de sang-froid. (...)

Avant la nuit, nous avions transbordé toutes les marchandises dans nos soutes, tout au moins celles qui nous intéressaient et que nous pouvions revendre à nos receleurs : l'oncle Benic, Katie Davis et un Juif d'Amsterdam nommé Jacob le Renard.

Maintenant je m'expliquais la raison de l'étrange surnom que s'étaient donné mes compagnons de fortune. Cette infâme comédie jouée sur l'eau facilitait leur besogne et, maintes fois, leur épargnait une lourde dépense de munitions.

Cette mascarade fantastique réussissait toujours. Nous croisions dans cette mer brumeuse autour des îles d'Ouessant, de Molène, de Banalec. Pauvres terres inhospitalières habitées par des pêcheurs dont l'existence était peu enviable.

Mathieu Miles connaissait on ne peut mieux cette région inhumaine où les naufrages s'accumulaient et par leur fréquence nous conféraient une sorte d'impunité. La nature semblait se faire notre complice. Elle nous offrait un décor de choix pour nos macabres inventions.

Nous passions parfois devant un petit hameau, notre funèbre pavillon claquant au vent et tous nos « morts » suspendus dans les haubans. Les gens se signaient sur notre passage. Nous étions pour eux le vrai navire éternellement damné, ce Juif errant des mers qui d'un pôle à l'autre chasse sans jamais s'arrêter.

Nous étions parés en vivres et en munitions pour tenir la mer pendant six ou sept mois. Après quoi nous revenions à notre île. On changeait l'aspect du schooner, qui redevenait la *Queen-Mary*. Nous déposions le produit de nos vols dans une cache sûre. En général nous ne gardions que les marchandises peu encombrantes et faciles à revendre. Pour le reste, nous le coulions avec le bâtiment capturé.

Petit à petit nous écoulions nos prises en revenant à Londres, à Brest ou à Amsterdam, sous l'aspect d'un honnête navire marchand. L'oncle Benic et les autres de la bande recelaient les marchandises et les vendaient au profit de tous. Chacun touchait la part qui lui revenait selon son grade ou ses années de navigation sous les plis du pavillon noir.

Pierre Mac Orlan,
les Clients du bon Chien Jaune

A la recherche d'un trésor oublié

Breton issu d'une famille immigrée à l'île Maurice au XVIIIe siècle, Jean-Marie Le Clézio a le sang de l'aventure dans les veines. En 1970, il vit parmi les Indiens au Panama, à proximité des hauts lieux de la flibuste. Il ne cesse de vagabonder dans le passé, comme son grand-père, en quête du trésor de ses racines.

A Rodrigues, tout se sait. Maintenant, je ne peux guère cacher ce que je suis venu chercher. Pourtant, ce que je suis venu chercher a-t-il vraiment un nom ? Comment pourrais-je le dire ? Bien entendu, ils ont un regard ironique, avec un petit peu d'inquiétude, eux, les « gentlemen », les « bourzois » de la bonne société, le directeur de la Barclay's, le propriétaire de l'hôtel de Pointe Vénus — que peut-on espérer de ce tas de pierres sauvage, si ce n'est un trésor ? Oui, c'est cela, et lui-même, cet homme qui est mort il y a quarante ans, venu ici à l'aventure, que cherchait-il ? N'était-ce pas un trésor, le butin fabuleux provenant des rapines de La Buse, ou d'England, l'or et les bijoux du Grand Moghol, les diamants de Golconde ? N'était-ce pas, peut-être, le butin d'Avery, qui, au dire de Van Broeck, aurait capturé le trésor donné par le Moghol Aurangzeb en dot à sa fille, et qu'il estimait à plus d'un million de livres sterling ? Avery, qui avait en son temps la réputation d'être devenu un « petit roi », avait capturé le vaisseau du Grand Moghol qui se rendait à La Mecque avec sa suite. Alors, raconte Charles Johnson dans *History of Pyrates*, « il épousa la fille du Grand Moghol puis fit route vers Madagascar », et bientôt abandonna son navire et son équipage et sans doute son trésor (caché dans quelque île), pour se rendre à Boston,

Henry Avery, l'un des premiers pirates avec Thomas Tew à opérer dans l'océan Indien, commande du rivage son équipage du *Fancy*, sur le point d'aborder un vaisseau de la flotte du Grand Moghol.

aux Amériques, où il vécut quelque temps avant de retourner mourir dans la misère à Bristol. Qu'était alors devenue sa femme, la fille merveilleuse (on ne peut l'imaginer autrement que belle) du Moghol Aurangzeb ?

N'était-ce pas cela aussi que cherchait mon grand-père, dans ce décor de broussailles et de lave, ici, dans l'un des endroits les plus pauvres et les plus isolés de la terre ? Car le trésor, c'était tout cela, c'était l'aventure fabuleuse du *Privateer*, la légende du Grand Moghol et de ses vassaux, Nizam el Moluk au Deccan, Anaverdi Khan à Arcot, la capitale du fameux Carnatic (appelé aussi Coromandel), gardée par ses deux forteresses de Gingi et de Trichinopoly. C'était aussi la chimère du domaine de Golconde, au nord du Carnatic, une forteresse inexpugnable, construite en haut d'un rocher à trois lieues de la cité légendaire d'Hyderabad. C'est là qu'était enfermé, selon la légende, le fabuleux trésor des « nizam », les vassaux du Grand Moghol, amassé depuis des siècles. Les diamants de Golconde avaient été le rêve des conquérants venus du Portugal, de l'Espagne, de Hollande, avant d'être le délire des écumeurs des mers à la fin du XVIIIe siècle. Songe-creux, car lorsqu'ils entrèrent enfin dans le Deccan, les conquérants européens ne découvrirent pas l'Eldorado qu'ils escomptaient, mais la pauvreté des villes et des peuples dans un pays où il y avait plus de poussière et de mouches que d'or. N'était-ce pas le même rêve qui s'était dissipé lorsque Coronado, croyant découvrir les cités de Cibola aux toits d'or et de pierreries, arriva enfin devant les villages de boue séchée des Pueblos, n'était-ce pas le même rêve, lorsque René Caillié entra pour la première fois dans Tombouctou et vit que la cité mystérieuse n'était en fait qu'un rendez-vous de chameliers ?

Comment mon grand-père a-t-il pu croire à la légende du trésor de Golconde, et surtout à celle de la dot de la fille d'Aurangzeb capturée par Avery ? A l'époque où Avery écumait la mer des Indes, c'est-à-dire entre 1720 et 1730, ce n'était plus Aurangzeb qui régnait sur l'Inde, sur les nababs et souhabs, mais un usurpateur, nommé Mohammed Shah, qui avait renversé en 1720 Farruk Sihar, lui-même cousin de Shah Allan et de son frère Djahandar, fils d'Aurangzeb qui était mort en 1707. Quant aux pirates — ceux que mon grand-père appelle les *Privateers* — ils n'ont commencé à naviguer dans la mer des Indes que lorsqu'ils furent chassés de la mer des Antilles, c'est-à-dire à partir de 1685. Cela coïncidait d'ailleurs avec l'expansion des trois grandes compagnies marchandes, la Compagnie des Pays lointains pour la Hollande (fondée en 1595 à Amsterdam) ; la Compagnie des Marchands trafiquants aux Indes orientales pour l'Angleterre (fondée en 1600) et la Compagnie des Indes orientales pour la France (fondée par Colbert en 1664). Les prédateurs de la mer des Indes — Taylor, La Buse, Avery, Cornelius, Condent, John Plantain, Misson, Tew, Davis, Cochlyn, Edward England et tant d'autres — n'ont acquis leur gloire que par ces géants aux dépens desquels ils vivaient : ces formidables compagnies marchandes qui ont été les premiers véritables agents de la colonisation européenne, et qui ont ouvert la route de l'Orient, d'abord par des échanges pacifiques, puis par la violence armée, divisant d'immenses territoires, des océans, répartissant entre elles cette moitié du monde.

N'est-ce pas ce passé extraordinaire qui est au cœur du trésor, le secret de ces mouvements de digestion du monde de l'Europe triomphante ? Aller à la recherche de ces mers et des îles où passèrent autrefois les navires, parcourir l'immense champ de bataille où s'affrontèrent les armées et les hors-la-loi, c'était prendre sa part du rêve de l'Eldorado, chercher à partager, près de deux siècles plus tard, l'ivresse de cette histoire unique : quand les terres, les mers, les archipels n'avaient pas encore été enfermés dans leurs frontières, que les hommes étaient libres et cruels comme les oiseaux de la mer, et que les légendes semblaient encore ouvertes sur l'infini.

J.-M. Le Clézio,
Voyages à Rodrigues

La piraterie revue et corrigée

De Daniel Defoe à Jorge Luis Borges, la piraterie s'est immiscée dans la littérature, naviguant entre le roman, le théâtre et la poésie. L'aventure est liée au merveilleux mais elle s'oppose à l'ordre établi. Gilles Lapouge est l'un des rares auteurs contemporains à se pencher sur le destin des révoltés de la mer dans son livre « Les Pirates ». Il y vagabonde dans l'histoire, traquant la moindre parcelle de poésie dans le territoire de la piraterie.

Dialogue entre Philippe Jacquin et Gilles Lapouge

– La première édition de votre ouvrage est parue en 1969. Les événements de mai 1968 ont-ils interféré dans la genèse de ce travail ?

– L'ouvrage entrait dans une collection conçue en 1967 dans l'esprit du temps où la contestation était à l'ordre du jour. J'ai choisi les pirates car je préférais une révolte collective à une révolte individuelle. J'ai rédigé mon texte en 1968 et les événements de mai m'ont influencé ; d'ailleurs on trouve, ici et là, des allusions à ce climat de révolte.

– Comment écrire l'histoire de la piraterie ?

– Je n'ai pas voulu faire œuvre d'historien bien qu'il y ait un solide soubassement historique à l'édifice. J'ai lu des travaux anglais et français sur le sujet puis je me suis lancé dans une histoire de la mythologie autour de la piraterie. C'est une histoire « dépassée », qui va au-delà de l'histoire, campe sur ses marges.

– Dans cette quête, vous rencontrez l'idéologie inhérente à la piraterie.

– La piraterie balance entre l'utopie et la révolte. J'ai souhaité esquisser une typologie de la révolte à travers cette révolte interminable qu'est la piraterie. La révolte pirate est assez claire. Elle n'est pas conceptualisée, elle est transparente, elle se traduit par l'utopisme ou le nihilisme. Certains pirates ne croient ni à la vie, ni à la mort. Il y a là une composante anarchique que laisse entendre le sous-titre de mon ouvrage « en marche vers la mer promise ». Ici apparaît la pulsion du paradis terrestre. Les pirates, insatisfaits de la société, tentent de trouver une terre promise. D'ailleurs les lieux qu'ils ont choisis ne sont pas indifférents. Les Antilles, les mers du Sud avec leurs plages paradisiaques où l'on vit sans travailler rappellent le temps avant la malédiction d'Adam.

La recherche de l'absolu, l'effacement de la faute réapparaît chez les pirates tels que Misson et Lewis. Tous les deux posent le problème des langues. Misson souhaite revenir avant Babel, il crée un espéranto. Quant à Lewis il prétend avoir le don des langues, il est investi par le Saint-Esprit, ce dernier étant alors le diable. Chez les pirates il y a toujours un mouvement dialectique entre le mal et le bien.

– Vous soulignez l'immanence de certains thèmes : la magie de l'or, le bateau, symbole du renfermement, la religion.

– La magie de l'or est concrétisée par les doublons espagnols mais, en réalité, c'est plutôt un or philosophal. L'or, soit les pirates le gaspillent soit ils revêtent le costume du banquier lorsqu'ils l'enterrent. D'ailleurs, dans les Antilles, bien des gens continuent à chercher des trésors et des grimoires. Les pirates cachent l'or mais ils savent qu'ils ne le retrouveront pas parce qu'ils seront morts avant. Ainsi se surimpose à la géographie réelle une géographie secrète, une géographie alchimique de l'or dans laquelle vivent les pirates.

Le bateau est également un lieu magique. La mer apparaît comme un espace libre. Sur le bateau, les pirates sont toujours au centre du monde puisqu'ils sont au milieu de tous les horizons, c'est donc la liberté absolue. Mais là s'opère un renversement dialectique parce que le bateau est le pire des enfermements. Il les contraint à retrouver une discipline plus forte que celle qu'ils fuyaient et qui est souvent à l'origine de leur révolte. Ils sont condamnés à s'organiser, à se discipliner, ainsi s'explique peut-être le relâchement qui intervient à terre où ils font la fête et boivent.

Toute la vie du pirate est imprégnée de superstitions, par exemple le noir, la couleur qu'ils adoptent comme pour conjurer la mort toute proche. Ils pratiquent la religion du bien ou du mal. Parfois la religion se faufile dans l'histoire réelle, ainsi les pirates protestants attaquent les catholiques.

– Vous entourez les pirates d'écrivains célèbres : Borges, Jünger, Rimbaud.

– Je cite de beaux textes, j'ai taillé pour ces voyous un écrin somptueux comme pour les consoler de ne pas avoir eu de grands écrivains à leurs côtés. Rimbaud les aurait sûrement suivis, il a été tenté par l'or, le messianisme, l'aventure absolue et la révolte. Defoe vivait à la grande époque de la piraterie, il a été un créateur de mythe. Au siècle suivant Stevenson a fixé le mythe qui était épars, il nous est parvenu ainsi au XXe siècle. En réalité, les écrivains sont mal à l'aise avec les pirates sauf peut-être Borges qui s'amuse à transfigurer la piraterie chinoise dans un chapitre de son ouvrage *Histoire de l'Infamie*. D'ailleurs, est-ce un hasard si ce texte est l'un des moins connus de cet auteur ?

– Si les écrivains sont mal à l'aise avec les pirates, les enfants les adorent.

– La piraterie est faite sur mesure pour les enfants. Ce livre est un livre d'enfance, il me vient de mes sept ou huit ans. Par certains aspects les pirates étaient très enfantins. L'enfant d'aujourd'hui se coule dans le rêve d'enfant du pirate.

Hollywood n'aime pas les pirates

La piraterie est-elle trop sérieuse pour que le cinéma ne s'y intéresse que dans des œuvres mineures ? De grands metteurs en scène se sont essayés au genre, épuisant vite le mythe de la piraterie qu'avait transfiguré la littérature du XIXe siècle. En quête d'inspiration, Hollywood, dans les années 1920-1930 s'est saisi de Barbe Noire et autres monstres, ignorant les multiples facettes de la piraterie.

Le Fantôme de Barbe-Noire, 1968.
Les Boucaniers, 1958.
Le Corsaire rouge, 1952.
Captain Kidd, 1945.

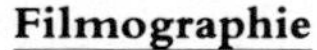

Filmographie

Tourneur, M., *l'Île au trésor*, 1920.
Lloyd, F., *l'Aigle des mers*, 1924.
Smith, D., *Captain Blood*, 1924.
Parker, A., *le Pirate noir*, 1926.
Lloyd, F., *le Corsaire masqué*, 1926.
Fleming, V., *l'Île au trésor*, 1934.
Curtiz, M., *Captain Blood*, 1935.
Mille, C.B. de, *les Flibustiers*, 1938.
Curtiz, M., *l'Aigle des mers*, 1940.
King, H., *le Cygne noir*, 1942.
Borzage, F., *le Pavillon noir*, 1945.
Lee, R.V., *Captain Kidd*, 1945.
Landers, L., *J. Laffitte, le dernier corsaire*, 1950.
Tourneur, J., *la Flibustière des Antilles*, 1951.
Walsh, R., *Barbe Noire le pirate*, 1952.
Siodmak, R., *le Corsaire rouge*, 1952.
Lamont, C., *Abbott et Costello rencontrent Captain Kidd*, 1952.
Sherman, G., *A l'abordage*, 1952.
Landers, L., *Captain Kidd and the slave girl*, 1954.
Quinn, A., *les Boucaniers*, 1958.
Gordon, B.I., *The Boy and The Pirates*, 1960.
Lenzi, U., *les Aventures de Mary Read*, 1961.
Stevenson, R., *le Fantôme de Barbe-Noire*, 1968.
Polanski, R., *Pirates*, 1986.

Pirates, 1986.
L'Ile au trésor, 1934.
Le Pirate noir, 1926.
Pirates, 1986.
Le Pirate noir, 1926.

BIBLIOGRAPHIE

La piraterie a suscité une littérature abondante où voisinent le médiocre et le sensationnel. Nous avons retenu des ouvrages s'appuyant sur une documentation sérieuse.

Parmi les sources d'étude sur la piraterie, deux documents demeurent exceptionnels

Oexmelin, A.O., *Histoire d'Aventuriers qui se sont signalés dans les Indes*, Paris 1678, nombreuses rééditions.

Johnson C. (pseudonyme de Daniel Defoe), *Histoire générale des pillages et des meurtres des pirates les plus notoires*, Londres, 1724.

Deux ouvrages généraux anciens

Deschamps H., *Pirates et Flibustiers*, PUF, 1952.

Gosse P., *Histoire de la piraterie*, Payot, 1933.

Sur la piraterie antique

Brulé P., *la Piraterie crétoise hellénistique*, Besançon, 1978.

Ormerod H.A., *Piracy in the Ancient World*, Liverpool, 1924.

La piraterie dans l'Atlantique et la mer des Antilles a été l'objet de travaux récents de la part des Anglo-Saxons

Burg B.B., *Sodomy and the Perception of Evil*, English Sea Raven in the Seventeenth Century Carribean, New York, 1983.

Devon D. et Ch., *A Nation of Pirates. English Piracy in its Heydays*, Londres, 1976.

Rankin H.F., *The Golden Age of Piracy*, New York, 1969.

Rediker M., *Between the Devil and the Deep Blue Sea, Merchants, Seamen, Pirates and the Anglo-American Maritime World*, Cambridge, 1987.

Au sujet des mutineries

Cabantous A., *la Vergue et les Fers*, Tallandier, 1984.

Au sujet de la piraterie orientale

Murray D.H., *Pirates of the South China, 1790-1810*, Stanford, 1987.

Waiso K., *Japanese Piracy in Ming China during the 16th century*, Chicago, 1975.

Un colloque réunissant des études diverses

Course et Pirates, Actes du XVe colloque d'Histoire Maritime, San Francisco, 1975.

La piraterie, objet de littérature

Jaeger G., *Pirates, Flibustiers et Corsaires*, Genève, 1987.

L'essai brillant d'un historien poète

Lapouge G., *les Pirates*, Phébus, 1987.

Le pirate, sujet de roman

Defoe D., *la Vie, les Aventures et les Pirateries du capitaine Singleton*, 1720.

Lesage R.L., *les Aventures du Chevalier de Beauchêne*, 1732.

Picquemard J.-B., *Monbars l'Exterminateur*, 1807.

Balzac H. de, *Argow le Pirate*, 1824.

Sue E., *Kernock le Pirate*, 1831.

Corbière E., *les Trois Pirates*, 1838.

Poe E., *le Scarabée d'or*, 1843.

Lecomte J.-F., *la Femme Pirate*, 1846.

Sand G., *L'Uscoque*, 1869

Stevenson R.L., *l'Isle au trésor*, 1882.

Verne J., *l'Archipel en feu*, 1884.

Mac Orlan P., *les Clients du Bon Chien jaune*, 1946.

TABLE DES ILLUSTRATIONS

COUVERTURE

OUVERTURE

CHAPITRE I

CHAPITRE II

CHAPITRE III

CHAPITRE IV

CHAPITRE V

CHAPITRE VI

TÉMOIGNAGES ET DOCUMENTS

INDEX

A – D

E – G

H – K

L – N

CRÉDITS PHOTOGRAPHIQUES

Antikensammlung, Munich 12/13h. Archiv für Kunst und Geschichte, Berlin 32, 34/35, 36/37b, 37h, 162. Artephot/ADPC, Paris 55. Artephot/Oronoz, Paris 26/27b, 38/39h, 59h. BBC Hulton Picture Library, Londres 41b, 95, 140h, 143h, 143b, 145, 178. Bettmann Archives, New York 4e de couverture, 48, 74g, 76b, 77, 146. Bibliothèque nationale, Paris 28, 30h, 41, 44, 59b, 67, 70, 71, 81, 88b, 90, 96/97, 112, 118/119h, 131. Bildarchiv Preussicher Kulturbesitz, Berlin 15h, 33, 82/83, 84/85, 86/87. Bridgeman Art Library, Londres 94, 103. Cahiers du Cinéma, Paris 182b, 183bd. Charmet, Paris 24, 45, 47, 49, 66, 118. Cinémathèque française, Paris 182/183h, 183bg, 184b. Peter Clayton, Londres 18. Dagli-Orti, Paris 26, 27b, 38b, 54h, 54b, 57, 63, 100, 101. René Dazy, Paris 149h, 149b. Delaware Art Museum, Wilmington couverture 1er plat, 64, 113, 114/115, 116/117, 125. D.R. 13b, 31h, 30/31b, 62, 126, 127, 140b, 170-172. Jean Dubout, Paris 73b, 132. E.T. Archives, Londres 106/107, 134. Explorer Archives, Paris 9, 20, 23b, 25, 72, 76, 108, 120, 121. Éditions Gallimard, Paris 156, 159, 165. Giraudon, Paris 29, 36h. Giraudon/Anderson, Paris 22b. Giraudon/Lauros, Paris 10. Sonia Halliday, Buckinghamshire 11, 40h. Historical Picture Service, Chicago dos de couverture, 70h. Michael Holford, Loughton 14/15. Patrick Jean, Nantes 78. Magdalena College, Cambridge 56h. Mansell Collection, Londres 68, 133, 138/139. Moro Roma, Rome 151. Musée de la Marine, Paris 69h, 73h, 73m, 110, 130, 157, 180. Peter Newark, Bath 46, 56b, 58, 65, 74d, 79, 80, 89, 93g, 93d, 128, 129, 136, 168. National Maritime Museum, Londres 42/43, 50, 53, 88h, 91, 92, 109, 122/123, 124, 148, 167. Public Record Office, Londres 51. Rapho/Chuzeville, Paris 19. Roger-Viollet, Paris 21, 52, 75, 110/111, 174, 185hg, 185b. Scala, Florence 22/23h. Shobunsha, Tokyo 98/99. Sipa Press, Paris 102, 104, 105.
Jean Vigne, Paris 69b.

REMERCIEMENTS

Nous remercions les personnes et les organismes suivants pour l'aide qu'ils nous ont apportée dans la réalisation de cet ouvrage : Delphine Babelon, documentaliste, Alain Cabentous, chercheur au CNRS, Denis Lombard, professeur à l'École des Hautes Études en sciences sociales, Paris. Les éditions Pierre Saurat, Gérard Lebovici, la revue *l'Illustration*.

COLLABORATEURS EXTÉRIEURS

Pierre Granet a assuré la lecture-correction de cet ouvrage. Anne Boyer a réalisé la maquette des Témoignages et Documents. Luc Favreau a dessiné la carte des pages 16/17.

Table des matières